Correo del otro mundo

———

Sacudimiento de mentecatos

Letras Hispánicas

Diego de Torres Villarroel

Correo del otro mundo

Sacudimiento de mentecatos

Edición de Manuel María Pérez López

CÁTEDRA

LETRAS HISPÁNICAS

Ilustración de cubierta: Montaje de Manuel María Pérez López
sobre una tabla original

© Ediciones Cátedra (Grupo Anaya, S. A.), 2000
Juan Ignacio Luca de Tena, 15. 28027 Madrid
Depósito legal: M. 26.896-2000
I.S.B.N.: 84-376-1834-7
Printed in Spain
Impreso en Anzos, S. L.
Fuenlabrada (Madrid)

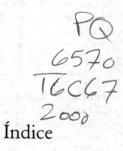

PQ
6570
T6C67
2000

Índice

Introducción

A Guy Mercadier

EL GRAN
PISCATOR
DE SALAMANCA,

Diego de Torres Villarroel

Correo del otro mundo y *Sacudimiento de mentecatos* se publicaron en 1725 y 1726, respectivamente. Muchos años antes de la primera entrega de la *Vida* (1743), Torres se asomaba ya a los horizontes de la autobiografía moderna. Y lo hacía por rutas inesperadas, desbrozando con instinto certero caminos sorprendentes y personalísimos, remodelando formas literarias que la tradición ponía a su alcance, para rehabilitarlas —lejos de las funciones originarias para las que habían sido concebidas— al servicio de la expresión de nuevas realidades emergentes: una cambiante sensibilidad vital revelada en la conciencia de la individualidad irrenunciable y en un transgresor proyecto personal de felicidad, cuya heterodoxia chocaba frontalmente con la mentalidad aún dominante. Es decir, la expresión de un ser nuevo que se abre paso hacia la modernidad tanteando los resquicios abiertos en una realidad histórica en proceso de transformación.

Aunque sostenidos por ese común aliento autobiográfico, los dos textos que este volumen acoge son literariamente heterogéneos y de desigual ambición y alcance creativo. *Sacudimiento de mentecatos* es un escrito polémico autodefensivo con el que Torres respondió a uno de los muchos ataques que llovieron sobre él, con intensidad proporcional al incremento de su popularidad y sus ganancias. Por su entidad genérica y por las circunstancias irrelevantes que lo motivaron, su destino previsible hubiera sido quedar sepultado en el limbo de las obras menores, en la escombrera de escritos de circunstancias que el paso del tiempo fosiliza. Mas lo redime de ese destino su inesperado contenido: una erupción de autobiografismo desatado; una confesión de contundente y provocativa sinceridad, que proclama desafiante ante el mundo un sistema personal de valores, con resonancias subversivas de intensidad no igualada en otras páginas de las obras mayores del autor.

Correo del otro mundo, en cambio, no oculta sus pretensiones creativas. De hecho, es la primera obra literariamente ambiciosa de su autor. Su sorprendente originalidad procede de la integración de diversos modelos formales tomados de la tradición (el sueño, el diálogo, el género epistolar) en una ficción en la que el impulso autobiográfico adquiere sustancia novelesca. En un deslumbrante ejercicio de desdoblamientos múltiples, Torres escenifica su propio juicio. Un espectáculo en el que es capaz de ejercer de autor, actor y espectador de sí mismo y desempeñar todos los papeles: juez y acusado, fiscal, abogado defensor y testigo. El resultado es un complejo y profundo proceso de autoindagación en el que un *yo* armado de lucidez busca certidumbres y descubre sus perplejidades y contradicciones, al cotejar su propia existencia con una galería de modelos representativos de la pretendida inmutabilidad del sistema dominante, pero que en realidad están en trance de convertirse en inservibles, como seres fantasmales de otro mundo que no es ya el de los vivos.

Seguramente podría el lector disfrutar de la vitalidad, inventiva, originalidad y frescura que emanan de los textos que este volumen le ofrece, sin necesidad de situarse mentalmente en la perspectiva histórica que corresponde a ambas obras. Pero, a poco que se esfuerce en evocar el horizonte histórico de 1725 (y es obligación de esta Introducción facilitarle ese empeño), podrá abarcar mejor la complejidad de la vida que ha quedado atrapada en el texto, y percibir en toda su amplitud y valorar en su justo alcance las líneas de interés antes apuntadas: el uso innovador del repertorio de formas literarias heredadas, el vivo y complejo testimonio de un choque histórico de mentalidades en la encrucijada que conduce hacia la modernidad, y el hondo aliento transgresor —sutilmente contenido y velado de ironía unas veces, desatado otras en arrebato clamoroso— que recorre esas páginas.

Al filo del primer cuarto del XVIII, y coincidiendo con la crisis política de 1724 —abdicación de Felipe V en su primogénito Luis I e inesperada muerte de este apenas siete meses después—, se producen dos sucesos que me permito anticipar, pues sintetizan bien las múltiples dificultades que acechaban en dos recorridos, más próximos y aun coincidentes de lo que a primera vista podría pensarse: el proceso de evolución que conduce de la mentalidad dogmática contrarreformista a la ilustrada, y la dura batalla por la independencia económica y el triunfo social que libraba en múltiples frentes un hombre corriente de origen humilde y aun oscuro llamado Diego de Torres, antiguo estudiante manteísta, hijo de un pobre librero arruinado, y probablemente amenazado además por la sombra de un linaje sospechoso. En efecto, en 1724 fueron encarcelados, juzgados por la Inquisición y condenados por judaizantes los novadores Diego Mateo Zapata y Juan Muñoz Peralta, destacados luchadores contra la ciencia escolástica (ambos fundadores de la Regia Sociedad de Medicina de Sevilla), pero también personajes influyentes en la corte, como médicos de la familia real y con amplias relaciones en los círculos aristocráticos. Más tarde se comprobará que estas y otras condenas semejantes debieron de resultar temibles y amenazantes para el propio Torres que, con todo, tenía entonces razones de preocupación personal más concretas y acuciantes: el mismo año de 1724 se le prohibió continuar la publicación de sus almanaques, fuente de sus ingresos y de su celebridad, justo cuando comenzaba a disfrutar de su éxito. El eco de la zozobra producida por esta prohibición, trabajosamente levantada y luego renovada, resuena explícita y repetidamente en las páginas de *Correo*.

Mirando hacia atrás desde la perspectiva de 1725, se comprueba que para entonces Diego de Torres (1694-1770) había salvado ya varias etapas en su lucha por la vida[1]. Atrás que-

---

[1] La mejor biografía de Torres, a la que me remito, es la de Guy Mercadier [1981], en la que por primera vez se contrasta con abundantes datos docu-

daban unos años más ricos en vivencias que en bagaje cultural sólido: una infancia que se adivina libre y feliz, pese a las estrecheces familiares, los castigos en la primera escuela y las inquietudes que la guerra de Sucesión lleva hasta tierras salmantinas (incluida la ruina y liquidación de la librería familiar); los primeros latines en el pupilaje de Juan González de Dios, maestro siempre recordado con respeto; el paso a los estudios universitarios, tras obtener una beca de retórica en el Colegio Trilingüe; el ingreso en el subdiaconado por presión de su padre, que aspira en vano a colocarlo en un beneficio eclesiástico; la bulliciosa entrega a las diversiones y desmanes estudiantiles, bordeando a veces los límites de lo permisible, en una adolescencia y primera juventud de vitalidad turbulenta que pesarán como una losa sobre sus posteriores esfuerzos para dignificar su imagen; la breve e injusta prisión que sufre por inmiscuirse en la batalla que dominicos y jesuitas mantenían a propósito de la alternativa de las cátedras; la escapada a Portugal, tal vez consecuencia de uno de los aludidos excesos, tal vez exploración aventurera en busca de caminos para ganarse la vida, y cuyo incomprobable y dudoso anecdotario tanto ha marcado su imagen folclórica; el despertar de una inquietud científica (o una cada vez más urgente búsqueda de salidas profesionales) que le empuja a lecturas dispersas e inevitablemente rancias, de la filosofía a la alqui-

mentales el relato autobiográfico del autor, que hasta entonces había mantenido un vasto monopolio sobre su propia historia. En efecto, desde el P. Cayetano Faylde (*Oración fúnebre*, Salamanca, 1774), que por encargo de la Universidad de Salamanca pronuncia el elogio fúnebre del catedrático desaparecido, hasta García Boiza [1949], primero en abordar con pretensiones la biografía de Torres en el siglo XX, apenas hay aportación alguna que completara o modificara la originaria fuente autobiográfica, que mantuvo así su acción perturbadora sobre toda pretensión de objetividad. No se trata sólo de que dicha fuente contenga datos imprecisos o incluso alterados, calculados silencios y elementos ficticios sujetos a esquemas literarios preexistentes; lo importante es que su medular intención es culminar un proceso de autojustificación que ofrece una imagen «mítica» de su autor [Di Stefano, 1965]. Lo que no significa que esa imagen literaria no sea más vital, y quién sabe si más cierta, que la imagen histórica que se pueda forjar con datos objetivos. Para la interpretación de la *Vida* me remito al estudio introductorio de mi edición del texto [Pérez López, 1989].

mia, de la medicina a la astrología y las matemáticas, sin maestros capacitados que lo orienten ni libros modernos a su alcance.

La lucha para escapar de la pobreza y del destino de servidumbre ligado a su origen llevará aparejada una existencia conflictiva, en permanente confrontación con una sociedad cerrada en sus prejuicios. Pero la personalidad que se va forjando en esta etapa lleva adheridos al instinto y a la conciencia los recursos necesarios: individualismo irreductible, afán irrenunciable de independencia, inapagable sed de celebridad, vitalidad que no se resigna a renunciar a nada. Rasgos todos que le impulsan a descartar las vías alternativas de sumisión previstas por el sistema para encauzar las energías de los rebeldes contra su destino originario: la Iglesia, a la que su padre pretendió inútilmente dirigirlo; la milicia, de la que desertó en Portugal nada más probarla; el servicio en los escalones ínfimos del Estado...

En 1718 encuentra su rumbo y sus armas de combate. Publica su primer almanaque —hallazgo decisivo para su futura independencia económica y su alianza con el público—, sin renunciar a construirse paralelamente una personalidad intelectual y socialmente respetable: 1718 es también la fecha de su primera y provisional vinculación docente a la universidad salmantina, como profesor sustituto de la cátedra de Astrología y Matemáticas, vacante desde tiempos inmemoriales por su paupérrima dotación. Mas no consigue que se la saquen a oposición para ocuparla en propiedad. El recuerdo de sus no lejanas turbulencias juveniles parece ser en esta ocasión el argumento esgrimido para cerrarle el paso. En 1721, al dedicar a la condesa de los Arcos su almanaque para 1722, se queja Torres de la inutilidad de su trabajo de dos años: «Faltó mi patria a los disimulos de madre. Graduóme no sé quién de liviandades aquellos gustos que sólo son dignos cuidados de un estudiante mozo. Pudo más una memoria que mi enmienda y, desesperado de los alivios humanos, vi entregada mi lástima al común desprecio»[2].

---

[2] Dicho almanaque no está recogido en los *Extractos de los Pronósticos* (desde 1725) incluidos en las *Obras* de Salamanca, 1752. La cita puede leer-

Era el momento de lanzarse a la conquista de la corte. La aventura madrileña (1720-1726) le conduciría a una primera etapa de madurez, en la que su personalidad queda ya conformada en sus perfiles básicos. La penuria de los primeros meses, repetidamente evocada en numerosos textos, se resuelve en bienestar y celebridad ante el éxito de los almanaques. La condesa de los Arcos, a la que seguramente conoció en Salamanca, y en cuyo domicilio ocurrió el famoso episodio de los duendes relatado en *Vida*, lo introduce en algunas casas de la nobleza, en las que pasa como huésped largas temporadas, como se comprueba por las dedicatorias de los almanaques. Los dos textos aquí editados fueron escritos en casa del marqués de Almarza, que lo hospedó durante más de un año. Frecuenta tertulias aristocráticas (como la del duque de Veragua) en las que se debatían las novedades científicas y filosóficas, al tiempo que asiste al Hospital General en compañía del protomédico de la familia real D. Agustín González. En el Prólogo al Almanaque para 1722 deja testimonio de este contacto con una ciencia y un pensamiento distintos a los que dejó en la ingrata universidad que no lo recibió en sus brazos: «... allá en las universidades, engañados en continuas precisiones y entretenidos en la confusión de indivisibles, y entes de razón, y universales, sólo nos enseñan una lógica metafísica con que dar gritos. Y aquí habita la praxis de las cien-

---

se en la edición de *Textos autobiográficos* publicada por Guy Mercadier [1978: 28].

En realidad, esos fantasmas del pasado le perseguirán durante años y, convenientemente magnificados y unidos a los prejuicios de raza y origen social, serán convocados una y otra vez por sus enemigos para desprestigiarle, siguiendo el ritmo de sus escritos y su celebridad. En la segunda parte de *Visiones y visitas* (1728), Torres cuenta ya con un largo memorial de agravios del que se lamenta ante su interlocutor, Quevedo: «A mí me han llamado *ladrón, que viví hurtando en una tropa de gitanos, y que si no me hubiera escondido en Portugal me hubieran ahorcado en la plaza de Salamanca como a Joaquinillo, el más famoso ratero, en la de Madrid; desvergonzado, indigno en las costumbres, tizón del infierno, blasfemo, lujurioso, pícaro, villano, bailarín alquilado, alcoranista, calvinista, luterano, hereje, sopón, sayón* y otras innumerables injurias que se han eternizado en el bronce de la prensa...» *(Textos autobiográficos*, edición citada, págs. 56-57; *Visiones y visitas* —citaré siempre por la edición de Sebold [1966]—, págs. 151-152).

cias, y sus más selectos profesores dedican el entendimiento a la inquisición de sólidas verdades»[3].

Pero no hay tiempo para el sosiego, sino para la defensa alerta de la posición recién conquistada y ya amenazada. Hasta la llegada del *Piscator de Salamanca*, el negocio de los almanaques estaba dominado por completo por el *Gran Piscator Sarrabal de Milán*, del que era beneficiario el Hospital General, que recibía una cantidad fija del editor Juan de Aritzia. Este, que vio disminuir sus ganancias por la aparición de un fuerte competidor, se amparó en la Junta de Hospitales para obtener del Real Consejo la prohibición de que se publicaran nuevos almanaques. Torres, que veía tan prematuramente clausurada su recién descubierta mina de oro, luchó a golpe de memorial[4] para conseguir del nuevo rey Luis I el levantamiento de la prohibición. El almanaque para 1724, que debería haberse puesto a la venta a finales de 1723 (pasó las oportunas censuras en noviembre de ese año), no recibió las licencias hasta marzo de 1724. Ironías del destino, el público vería contenida en él la predicción de la muerte del joven rey, elevando al Piscator salmantino a la cumbre de su fama.

No se resignaron Aritzia y el Hospital General, que al volver al trono Felipe V solicitaron un privilegio de exclusividad, a principios de 1725. La angustia de esta nueva pesadilla cruza como un fantasma por las páginas de *Correo*. Torres tuvo que desplegar toda su habilidad para esquivar el nuevo obstáculo[5],

---

[3] *Textos autobiográficos*, 29.

[4] Véase J. de Entrambasaguas [1931, reimp. 1973], quien consideró perdido el almanaque para 1724, al suponer destruida su edición. Para los avatares de dicho almanaque, véase E. Martínez Mata («La predicción de la muerte...» [1990]).

[5] Otro memorial (no conservado) a Felipe V, más un desplazamiento al Escorial —escamado ante el silencio administrativo— coincidiendo con las fiestas de cumpleaños de Isabel Farnesio, y el remate de un soneto al infante Don Carlos, pidiéndole que le imprima el almanaque en su imprenta de juguete: «Con ocasión de tener ya escrito el Piscator del año de 1726, y haber sacado el Hospital de Madrid un privilegio para que no se imprima, escribe a su alteza el Señor D. Carlos para que se imprima en su cuarto, donde tiene por diversión una imprenta». *(Obras* de Salamanca, VII, 31. En adelante citaré solo números de tomo y página). Torres agradeció a Felipe V el favor dedicándole el almanaque para 1726. Véase Mercadier [1981: 62-64].

reproducido una vez más en febrero de 1726 con la renovación del privilegio del *Sarrabal*, hasta la definitiva solución favorable meses después, en noviembre[6].

El mismo año en que sale a la luz *Correo del otro mundo* hace su primera aparición pública el P. Feijoo. Faltaba un año más para que se publicara el primer tomo del *Teatro crítico*, pero en septiembre de 1725 firma la *Aprobación apologética del escepticismo médico*, que sirve de escudo defensivo a la reimpresión de *Medicina escéptica*, libro que el médico Martín Martínez (1684-1734), ligado a la Regia Sociedad de Medicina de Sevilla, de la que fue presidente, había publicado por primera vez en 1722, provocando la inmediata reacción de la ciencia médica universitaria[7]. Gregorio Mayans (1699-1781), que se había estrenado en 1723 con unos comentarios en latín sobre tema jurídico[8], publica en 1725 su *Oración en alabanza de D. Saavedra Fajardo*. No es necesario ampliar las anteriores referencias para comprobar que en esos momentos está accediendo a la actividad pública una nueva generación de escritores e intelectuales que enlaza históricamente con la generación que, ya en la segunda mitad del siglo, protagonizaría el momento de mayor auge de la Ilustración española en el reinado de Carlos III. Mas dicho grupo encuentra ya camino andado en su tarea. *Correo del otro mundo* ofrece el testimonio vivo —tanto, que la realidad testimoniada se convierte en sustancia temática del texto— de la irrupción de una nueva ciencia y un nuevo pensamiento en los círculos culturales madrileños. El Piscator de Salamanca informa en sus respuestas a Hipócrates y Aristóteles de importantes novedades que socavan su autoridad en el campo de la medicina y la filosofía «de treinta años a esta parte»: la sustitución de la terminología, concepciones y reme-

---

[6] En su tercer memorial Torres adjunta el primero que dirigió a Luis I, gracias a lo cual se conserva el texto de este.

[7] De 1725 es *Centinela médico-aristotélica contra escépticos*, del catedrático de la Complutense Bernardo López de Araujo. Un año antes apareció el *Colirio filosófico aristotélico tomístico* de Juan Martín de Lesaca, muy activo desde años atrás en la polémica contra los novatores.

[8] *Ad quinque Jurisconsultorum fragmenta comentarii* (Valencia, 1723).

18

dios de la medicina clásica por los de la nueva medicina química o espagírica; la nueva física atomística casi convertida en moda desde que «Cartesio resucitó y puso en venta los átomos de Demócrito y Epicuro», hasta tal punto que «tienen por inútil al que no habla por átomos, y espíritus, y corpúsculos indivisibles». Era el resultado de la labor de los *novatores* de la generación anterior, en el período de entre siglos.

En efecto, el estudio de la penetración en España de la ciencia y pensamiento modernos[9] ha permitido definir y delimitar un período de transición que abraza ambos siglos (1680-1725 aproximadamente)[10], en el que se plantea la crisis del sistema de valores contrarreformista, en cuya férrea construcción doctrinal se abren los primeros resquicios[11] por los

[9] Estudios pioneros en sus respectivos campos de filosofía y ciencia fueron los de O. Quiroz Martínez, *La introducción de la filosofía moderna en España*, México, 1949, y J. M. López Piñero, *La introducción de la ciencia moderna en España*, Barcelona, Ariel, 1969. Hay datos y observaciones de interés en relación con la literatura en Iris M. Zavala, *Clandestinidad y libertinaje erudito en los albores del siglo XVIII*, Barcelona, Ariel, 1978. Una visión de conjunto de los novatores y su aportación puede encontrarse ya en en el cap. I del libro de François Lopez *Juan Pablo Forner et la crise de la conscience espagnole au XVIIIe siècle*, Institut d'Études Ibériques, Bordeaux, 1976, y luego en J. L. Abellán, *Historia crítica del pensamiento español*, III, Madrid, Espasa-Calpe, 1981, y G. Stiffoni, «La cultura española entre el Barroco y la Ilustración», en *Historia de España* de R. Menéndez Pidal, XIX, vol. 2, Madrid, Espasa-Calpe, 1985. La más reciente revisión del tema, en la perspectiva global del pensamiento ilustrado, en Francisco Sánchez-Blanco, *La mentalidad ilustrada*, Madrid, Taurus, 1999. El indudable interés del libro no está precisamente en su tratamiento de Torres Villarroel, que no escapa a los tópicos habituales.

[10] La fecha de 1680 (un año después muere Calderón) parece marcar un punto de inflexión hacia una recuperación económica, que será más rápida y pronunciada en algunas zonas como Valencia y Sevilla, focos importantes del pensamiento renovador. Con el final del primer cuarto del nuevo siglo coinciden un suceso político importante (la conclusión de la primera etapa del reinado de Felipe IV, 1724) y otro cultural (aparición del tomo primero del *Teatro crítico*, 1726).

[11] Un rastreo minucioso de antecedentes en el XVII permite encontrar reflejos anteriores de la reacción antiescolástica y de los planteamientos nuevos, como sucede en el *Pharus scientiarum* de Sebastián Izquierdo (1659) o en la *Philosophia libera* (1673) de Isaac Cardoso (1615-1680), y especialmente en algunas páginas de la abundante producción de Juan Caramuel (1606-1682). Pero son reflejos aislados o alejados (los dos últimos vivieron fuera de España), que en nada afectaron a la robustez del sistema.

que penetrará el pensamiento renovador que anuncia la Ilustración española, seguramente más sólida —como reivindican los estudios más recientes— de lo que pasadas interpretaciones admitieron, pero cuya plenitud no deja de ser tardía y efímera. Dicha aportación, aunque procedente de otros ámbitos científicos, es de gran interés para la historia literaria que, abrumada por el complejo de la sima de decadencia que parece abrirse tras la muerte de los últimos genios del Barroco, careció durante décadas de una perspectiva adecuada para comprender y valorar a los escritores de la primera mitad del XVIII. Lo que explica que Torres Villarroel —el más destacado creador de ese período—, haya sido víctima repetida de un doble desenfoque[12] que lo despoja de su propio tiempo, para ser presentado, desde las coordenadas del Barroco, como un escritor epigonal y decadente (cuando no degenerado); o como un retrógrado ignorante —el reverso reaccionario de la imagen de Feijoo—, desde las alturas de la plenitud de una Ilustración entonces aún lejana[13]. La piedra de toque precisa para evaluar el «nivel de modernidad» en el primer tercio del XVIII está, pues, en el grado de conocimiento de las ideas de los novatores y en la mayor o menor permeabilidad o concordancia con sus actitudes y planteamientos, de los que es preciso esbozar aquí una síntesis que pueda servirnos de punto de referencia.

Los *novatores* inician el tránsito desde el dogmatismo escolástico contrarreformista, basado en el argumento de autoridad, a un pensamiento racional de aliento laico y a una cien-

---

[12] Desenfoques que ya he lamentado —inútilmente, debo añadir, por lo que debo seguir insistiendo con paciente humildad— en otras páginas. Me remito preferentemente a las últimas: «Para una revisión de Torres Villarroel» (Pérez López [1998]).

[13] La fecha tardía de su muerte (1770) resulta muy engañosa a este respecto. Con la obvia excepción de la *Vida* (1743-1759), la composición de las obras mayores de Torres, iniciada en 1724, se cierra en la década de los años treinta: 1724, *Viaje fantástico* (refundida en 1738 en *Anatomía de todo lo visible e invisible*); 1725, *Correo del otro mundo*; 1726, *El ermitaño y Torres* (las dos modificadas también en 1738); 1727-28, *Visiones y visitas*; 1730, *Vida natural y católica*; 1731, *La barca de Aqueronte* (no publicada hasta 1743); y 1736-37, *Los desahuciados del mundo y de la gloria*.

cia sometida a la comprobación de la experiencia. En el punto de partida conviven una conciencia de la decadencia que huye de la resignación e inclina a la rebeldía, la reanudación del contacto con la cultura europea y el reencuentro con la línea crítica del pensamiento renacentista español que la Contrarreforma había sofocado, en el que encuentran legitimación para sus propias actitudes críticas. La batalla primordial la libran, en efecto, contra el sistema escolástico, intentando quebrar la abusiva identificación dogmática entre aristotelismo y ortodoxia. Tratan de liberar a la ciencia de su subordinación a la teología, mediante un respetuoso deslinde de los campos, reclamando como fundamento epistemológico exclusivo de las ciencias de la naturaleza la observación, experimentación y comprobación empíricas. Abren la puerta, con los convenientes filtros ortodoxos, a las distintas líneas derivadas del pensamiento racionalista cartesiano —más apegados al ecléctico Maignan que al mismo Descartes—, incluyendo en especial la generalizada aceptación del atomismo como base de la nueva física. Atacan la medicina galénica escolasticista y propugnan la iatroquímica, o bien una medicina escéptica ajena a los sistemas y apoyada sólo en la experimentación. No sorprenderá que los pasos más tímidos y cautelosos los dieran en astronomía, escarmentados en las condenas ajenas aún amenazantes. Aunque no ignoran las nuevas aportaciones, acatan el geocentrismo oficial, y solo pueden hablar del heliocentrismo copernicano como «suposición teórica» o «hipótesis útil» para explicar más fácilmente el movimiento de los planetas. Los *novatores* no llegaron a construir una nueva cosmovisión ni una nueva ciencia (los contenidos concretos del *corpus* científico siguieron siendo predominantemente escolásticos), ni transformaron la realidad cultural española[14]; pero sí dejaron su impronta en la *mentalidad*, sí aportaron actitudes y planteamientos nuevos que harían posible, décadas después, una transforma-

---

[14] Un dato revelador es el panorama de la edición de libros en la primera mitad del siglo, con un predominio absoluto de los libros religioso-piadosos, y el dominio escolástico en el reducido cupo de los libros de filosofía-ciencia. Véanse las obras de François Lopez [1976] e Iris Zavala [1978] citadas.

ción más amplia, capaz de alcanzar las esferas del poder y aportar las señas de identidad de la cultura oficial. Y es que su labor se desarrolló en circunstancias adversas de aislamiento, de falta de apoyo decidido desde el poder político, de agresiva hostilidad institucional por parte de las universidades y de la Iglesia, conscientes de que remover cualquiera de las piezas de su cerrada construcción doctrinal podría conducir al derrumbamiento de todo el edificio.

«Aunque vuestra merced está honrado entre los hombres de las religiones, los médicos le han arrojado», le dice el Piscator a Aristóteles en su carta. Y es verdad que, si bien hubo algún representante en el ámbito de la filosofía general de diseño académico, como Tomás Vicente Tosca (1651-1723), dentro de un prudentísimo eclecticismo, o en el de la historiografía crítica (Martí, Miñana, Ferreras), médicos fueron los novadores más combativos: Juan Bautista Corachán, los ya mencionados Mateo Zapata y Muñoz Peralta, y sobre todos ellos Juan Cabriada, cuya *Carta filosófica, médico-química* (1687) ha sido consagrada por López Piñero como el «documento fundacional de la renovación científica española». Es explicable una mayor expansión y radicalidad de los nuevos planteamientos en un campo más abierto al mundo laico —menos atado a la disciplina eclesiástica— y al ejercicio profesional —sin dependencia de las universidades— y en una disciplina científica más ligada a lo pragmático, donde las innovaciones no tenían que afectar necesariamente a todo el sistema.

Pese a todo, el choque entre *novatores* y escolásticos fue inevitable. El combate se prolongó durante años, hasta enlazar con la polémica feijooniana (el *Ocaso de las formas aristotélicas*, de Zapata, escrito en 1724, se publicó en 1745). La lucha se encona hacia 1714, cuando el obispo de Jaén Francisco Palanco lleva la discusión del plano puramente intelectual o científico al de la heterodoxia religiosa de las nuevas ideas, con la evidente carga amenazadora que su planteamiento implicaba[15]. Tal planteamiento sigue vigente en el fondo cuando

---

[15] En 1714 publicó Palanco un *Cursus philosophicus*, con un apéndice titulado *Dialogus physico-theologicus contra philosophiae novatores, sive thomista contra*

la discusión se recrudece hacia 1724, con la sutileza añadida, por parte de los defensores del aristotelismo, de un aparente eclecticismo basado en un real conocimiento de los argumentos del adversario, que son discriminados según su compatibilidad con los dogmas o su irrecuperable heterodoxia. Tal es el caso, además de Juan Martín Lesaca, del jesuita salmantino Luis Losada[16], por otra parte verdadera pesadilla para Diego de Torres, al que martirizó durante años con sátiras y libelos crueles, lanzados bajo diferentes seudónimos[17]. Finalmente, como quedó apuntado, las huestes conservadoras recurrieron a sus tradicionales argumentos «científicos» de convicción, y Zapata y Muñoz Peralta, denunciados a la Inquisición, fueron condenados en 1724. Escepticismo (no ya como vía hacia el conocimiento, sino como renuncia resignada a construir un nuevo modelo global) y eclecticismos de variado grado fueron la tentación o el refugio final de los escarmentados supervivientes.

Queda una breve consideración de la posible implicación personal de Torres en el temor suscitado por estas condenas, llamativas por el rango intelectual y social de los afectados, pero que se englobaban en un proceso general de recrudecimiento de la persecución antijudaica desencadenado desde el comienzo de la década. Curiosamente, en los autos de fe documentados por Caro Baroja en este período[18] aparece con

---

atomistas. Entre las respuestas cabe destacar la de «Alejandro de Avendaño» (Juan de Nájera) —reforzada en sus preliminares por sendas *Censuras* de Juan de Ferreras y Mateo Zapata—, *Diálogos filosóficos en defensa del atomismo y respuesta a las impugnaciones aristotélicas del R. P. M. Fr. Francisco Palanco* (Madrid, 1716). Desde la Universidad de Alcalá apoyó a Palanco Juan Martín Lesaca, con *Formas ilustradas a la luz de la razón* (Madrid, 1717).

[16] Luis Losada (1681-1748) fue autor de un influyente *Cursus philosophicus* (Salamanca, 1724, con reediciones posteriores), para la enseñanza en el Real Colegio de los jesuitas de Salamanca. En la segunda parte, dedicada a la Física o Filosofía natural, incluía una *Disertatio praeliminaris ad physicam. De nova vel innovata philosophia, quae cartesiana, corpuscularis et atomistica vocitatur.*

[17] Véase el cap. «Una vieja e irreconciliable enemistad: Losada frente a Diego Torres Villarroel», en Cortina-Iceta [1981: 287-338].

[18] Julio Caro Baroja, *Los judíos en la España moderna y contemporánea*, Madrid, Arión, 1961, tomo III.

cierta frecuencia el apellido Torres (uno de ellos, incluso, emparentado con un Villarroel). Mas no se trata de sopesar indicios[19] para confirmar o rechazar el nunca comprobado origen judeoconverso de Torres, que en sí mismo nada importa. Lo importante es que sus enemigos lo acusaron de tal y convirtieron la sospecha en agravio-amenaza permanente, que nunca falta en el repertorio de insultos que a su destinatario llegó a resultarle familiar letanía. Lo recuerda en el Almanaque para 1729, sorprendido del tiempo que lleva sin escucharlos: «Así he reparado que ya no hay satirilla para Torres, que ya están gastados los ingenios y no sale uno que diga aquello de *Judío, perro, borracho, tonto y salvaje*. Tanto como esto, no lo vuelvas a decir, porque es mentira que tiene dos varas más de la marca de las mortales; pero así una cosita que me escueza, bien podrás escribir, para que tengamos alguna cosecha de disparates» (IX, 102).

Seguramente lo anterior no es ajeno a los equilibrios, prudencias y eclecticismos con que Torres matiza alguna de sus posturas críticas en el texto de *Correo*.

LA COSMOGRAFÍA TORRESCÉNTRICA[20]

Las cinco esferas de un universo en rebeldía

Los resortes que empujan a Torres hacia este primer gran logro de su autobiografismo permanente son los mismos que le conducirían años después a la escritura de la *Vida*. En los mo-

---

[19] Mercadier [1981: 85], aparte de recordar las frecuentes proclamaciones de pureza de sangre que hace Torres, y la asociación tradicional de la astrología y la medicina con el judaísmo, añade otra curiosa coincidencia: a Caro Baroja le llamó la atención la frecuencia con que aparecen implicados en los procesos estanqueros o gentes relacionadas con el negocio del tabaco, al parecer estrechamente ligado a los de origen converso; y el padre de Torres, tras la guerra, obtuvo un puesto dentro de dicha actividad.

[20] El epígrafe se inspira en la «estructura torrescéntrica» que Mercadier vio en el texto, como se comprobará en el apartado final de este estudio.

mentos más comprometidos de la batalla, cuando lo que estaba en juego era la supervivencia de su proyecto vital, actuó siempre del mismo modo: revisar su trayectoria y examinar su conciencia, registrarse el ser por fuera y por dentro para ofrecer en su defensa la verdad de sí mismo. Concibió la *Vida* en la amargura de su injusto destierro en Portugal (1732-1734), cuando suplica al rey que le ordene escribirla, para que le sirva de defensa en el juicio que no tuvo[21]. Tras la condena inquisitorial de 1743 por su libro *Vida natural y católica*, y una vez superada la larga enfermedad depresiva que la siguió, no solo amplía la *Vida* con una nueva entrega, sino que se prepara a responder con la reafirmación y exhibición de su entero ser, editando sus *Obras Completas* (1752). Las tribulaciones referidas de 1724 le habían llevado a recapitular su biografía y actividades, incluidas a manera de *curriculum* en el memorial dirigido a Luis I. Afortunadamente, el proceso de autocontemplación e indagación se prolonga creativamente y se ahonda en *Correo*.

Las imágenes de sí mismo que desde fuera le transmiten cinco testigos que representan el orden que rige el mundo exterior deben ser contrastadas con las que su propia conciencia le devuelve. Torres, introducido en su «ser público», el Gran Piscator, confronta su actividad y sus ideas con cinco arquetipos, consagrados por la tradición y conocidos por todos, correspondientes a cinco facetas o dimensiones constitutivas de su existencia (lo que equivale a decir de su cosmovisión): la astrología, la medicina, las leyes, la filosofía, la moral. Será preciso revisarlas, acompañando al autor en búsqueda de su verdad. Y por de pronto hay que advertir el planteamiento general defensivo, bajo la amenaza de una condena que puede consumarse si su autojustificación no es convincente. Las cinco cartas son cinco acusaciones de disidencia, en mayor o menor grado; de infidelidad, desvío o desamor respecto a los modelos; de infracción de las normas; y al fin, de pecado. Acusaciones que cabe rechazar, admitir, o matizar en hábil y delicado equilibrio.

---

[21] Dio a conocer el memorial Guy Mercadier [1982].

Al contemplar su primera imagen, no disponía Torres, como para los demás espejos de su galería, de un modelo clásico ideal, acreditado por una tradición de siglos, con el que contrastarla. Eligió el único posible: Sarrabal de Milán, astrólogo italiano del XVII, a cuyo nombre seguía editándose con éxito en Madrid el almanaque popular que había establecido el canon del género en España. Es lógico que el primer espejo lo refleje disfrazado de astrólogo popular, única versión de su retrato visible para el público entonces. No podía sospechar en ese momento que aquella máscara, ilusionadamente elaborada para su nuevo oficio[22], quedaría obstinadamente adherida a su rostro y condicionaría para siempre su figura intelectual y literaria.

Mientras formas literarias de antiguo prestigio con vocación de masas, como el romancero y la comedia plebeya, se deslizaban por una pendiente de degradación en su búsqueda del éxito popular, distinta es la evolución experimentada por un viejo género extraliterario que se aproxima a los confines de la literatura, para trasponerlos cumplidamente en el caso de Diego de Torres Villarroel. El *Gran Piscator de Salamanca* no sólo fue el responsable del auge de los *almanaques*[23], a través

---

[22] «La vanidad de verme pintado con antojos, compases, estrellas, libros y bigotes, como yo vi a vuestra merced, me engañó a estudiar y aprender embustes», le confiesa a Sarrabal en el texto aquí editado (pág. 126).

[23] Si damos por buena la información que puede espigarse en los textos de Torres, mientras los *calendarios* eran patrimonio de la Iglesia y señalaban los periodos litúrgicos, festividades religiosas, ayunos y vigilias, los *almanaques (almanak* era grafía frecuente) o *pronósticos* o *piscatores* se ocupaban de eclipses, lunaciones, meteorología y las correspondientes previsiones respecto a las cosechas y la salud, a lo que habría que añadir el elemento «judiciario» en el que radicaba el morbo popular: la predicción de «sucesos políticos».

En Europa, el género tenía una tradición continuada de al menos dos siglos (B. Capp, *Astrology and the Popular Press: English Almanacs 1500-1800*, Londres, Faber, 1979; G. Bollème, *Les almanachs populaires aux XVIIe et XVIIIe siècles. Essai d'histoire sociale*, París, Mouton, 1969). En España, además del *Sarrabal*, se publicaban otros con mucha menos difusión, como *El Gran Gotardo español* o

de la carrera de emulación que su éxito personal propició, sino el artífice, en su propia producción, de una sorprendente dignificación literaria de aquel género deleznable, que en sus manos se convirtió además en oro. Deslumbrante, múltiple y real logro transmutatorio de un ingenioso y zumbón alquimista de pacotilla. Don Diego había encontrado a las primeras de cambio su personal piedra filosofal, de la que en adelante dependerían —por decirlo con sus propias palabras—, «fama, dinero y libertad, que es el chilindrón legítimo de las felicidades»; lema, por cierto, difícilmente compatible con el ideal de renuncia ascética contrarreformista que le ha sido repetidamente adjudicado.

Pero la libertad y el bienestar económico tuvieron un duro precio. Y no me refiero ahora a las inquietudes y zozobras de las que quedó constancia en el apartado anterior, sino a efectos más hondos y duraderos. El entero y complejo ser real del escritor se convirtió en rehén de su ficticio ser parcial, la figura folclórica del Gran Piscator («¿Por qué nada más se acuerdan de sus almanaques, si ha escrito de todo? ¿Por qué se queda en puro pronosticador?», se lamentaría años después por boca de uno de sus personajes), que colmaba a su creador de bienestar material al tiempo que atentaba contra su prestigio intelectual. Pero ya no fue posible renunciar a aquella gozosa cita anual con su público, de la que dependía el dinero, la independencia, la celebridad. Muy pronto el *Gran Piscator*, al popularizarse, escapa al control de su creador. Éste mantiene con su criatura unas relaciones inevitablemente ambiguas, entre la complacencia y la

---

el *Piscator andaluz*. Véase el inventario bibliográfico de Francisco Aguilar Piñal [1978].

El *Gran Piscator de Salamanca* se convirtió en un fenómeno de consumo, con interesantes implicaciones respecto al despuntar de un nuevo *status* de escritor independiente en una embrionaria sociedad burguesa emergente. El éxito económico del invento engendró una nutrida y entusiástica prole de seguidores —y aun de piratas a secas— que imitaron al maestro con más o menos servilismo (generalmente con mucho) y más o menos gracia (habitualmente con muy poca). En la olvidada nómina de cultivadores del género destacan, por su asiduidad, Francisco León y Ortega y Francisco Justicia y Cárdenas, amén de Gómez Arias, un parásito recalcitrante que escribiría además en 1744 su autobiografía intentando aprovechar el éxito de la *Vida* de Torres.

distanciación burlesca. No faltan momentos de total sinceridad —varios en *Correo*—, en que se justifica humildemente con el recuerdo de la pobreza de su origen, su deficiente educación juvenil y la falta de horizontes profesionales mejores; pero lo más frecuente es que acepte descaradamente la impostura, se enorgullezca impúdicamente de sus ganancias y restriegue su bienestar en el rostro de los envidiosos maldicientes[24], sin dejar de burlarse al tiempo de sí mismo y de sus lectores[25]. Pese a esas constantes autoburlas, no pudo arrancarse del rostro la deformante y reductora máscara folclórica que suplantó públicamente su personalidad.

De tal suplantación arranca esa imagen distorsionada —que sobrevive aún incluso en los círculos cultos y entre los historiadores— de un Torres ignorante y retrógrado, jaleador irresponsable de las supersticiones populares, viva encarnación del oscurantismo que las mentes avanzadas de su tiempo ya estaban combatiendo. La revisión de ese tópico requiere tal vez no solo asomarse a la realidad textual de los almanaques de este escritor —tan poco leído, en realidad, si se exceptúa la *Vida*—, sino también replantear la cuestión más general de la pervivencia dieciochesca de la superstición, no como residuo exclusivo de la ignorancia popular[26], sino en su vinculación secular con el pensamiento oficial.

Aunque nuestro concepto racional y laico de superstición —atribuir un inexistente carácter oculto, sobrenatural o mágico a determinados hechos, ora imaginarios, ora reales— sea una herencia ilustrada, no puede decirse que alcanzara ya ple-

---

[24] «Desde luego —hace balance en el almanaque de 1751— afirmo que no se cuenta de otro que haya ganado a astrología pura, y a mentira seca y confesada más de cincuenta mil ducados sólo en veinte y ocho años de embustero, como yo demostraré haberlos gastado y recogido» (X, 90).

[25] En el Almanaque para 1732, lamentando de nuevo que haya quien crea en la posibilidad de la adivinación y tome en serio las típicas predicciones perogrullescas de sus *pronósticos*, escribe: «Ello es cosa sensible, que a un hombre honrado no le han de creer que es embustero, cuando lo dice con seriedad. ¿Sobre qué, señores lectores mentecatos, me han de levantar ustedes el falso testimonio de que digo verdades?» (IX, 133).

[26] Para un desarrollo más amplio de este tema me remito a mi artículo «Superstición popular y paraliteratura en el siglo XVIII» [Pérez López, 1999].

na nitidez ni vigencia a lo largo del siglo XVIII, y menos en sus dos primeros tercios[27]. Conviene tener esto en cuenta para no caer en anacronismos interpretativos: por ejemplo, el de suponer que tales creencias tenían su exclusivo reducto en la ignorancia popular; que contra dicha ignorancia hubieron de librar los ilustrados su batalla primordial, y que la persistencia del pueblo en sus errores y prejuicios fue el muro contra el que se estrellaron las buenas intenciones reformistas y el lastre que obstaculizó el avance de los ideales ilustrados de progreso. No fue el pueblo, por lo que se sabe, el que intentó sofocar el pensamiento crítico racionalista desde sus mismos albores, el que ya en 1724 llevó ante el tribunal del Santo Oficio a los *novatores* Zapata y Muñoz Peralta, el que luego procesó inquisitorialmente a Macanaz y Olavide, el que censuró escritos o prohibió libros, el que desterró a Jovellanos, el que empujó al exilio a tantos intelectuales reformistas.

Sin duda, la credulidad y el temor reverencial hacia las múltiples manifestaciones de lo prodigioso, percibidas por doquier, fueron fenómenos extendidos en amplias capas populares; y un sector reducidísimo y habitualmente marginado no renunció a la práctica de supuestos poderes ocultos. Pero la institucionalización doctrinal teológica, filosófica y jurídica de todas las heterodoxias y su represión oficial fue siempre patrimonio de teólogos y humanistas, de letrados e inquisidores. Aunque resulte una obviedad, no estará de más repetir que cualquier poder (y vocación de alcanzarlo tiene toda religión institucionalizada) genera sus correspondientes heterodoxias, sus demonios a los que condenar, sus disidentes satanizados a los que exterminar. Se trata, al fin, de mantener la exclusiva en el eficaz uso y provechosa administración de los poderes, sean naturales o sobrenaturales. Y hay que añadir que la ortodoxia aún dominante en el XVIII, defendida con uñas y dientes por una Iglesia dogmática y unas universidades cerradamente inmovilistas en su conjunto, seguía siendo la ortodoxia contrarreformista.

Cuando el Padre Feijoo emprende en 1726 su larga y esforzada campaña para desterrar lo que se empeña en diagnosti-

---

[27] Véase Álvarez de Miranda [1992].

car como supersticiones populares, «errores comunes», «errores del vulgo», etc., elude denunciar abiertamente la responsabilidad del pensamiento oficial y el magisterio de la Iglesia en la reconfiguración y pervivencia de tan viejos desvíos. Fue otro eclesiástico, el P. Martín del Río, quien había dejado escrita en 1599 la que todavía se consideraba *summa* doctrinal sobre demonios, brujas, magia y hechicería: sus famosas *Disquisiciones mágicas*[28], donde, con agobiante despliegue argumental y apoyándose en textos griegos y latinos, de los Santos Padres y de teólogos de variada nacionalidad, establece como realmente existente y cierto (y por ende perseguible, en cuanto heterodoxo) un inventario de disparates más impresionantes que los adjudicados por Feijoo a la ignorancia del vulgo.

Tal *corpus* doctrinal no había perdido su vigencia. Así se explica, por ejemplo, que el ingenio burlón de Torres Villarroel (cuya capacidad subversiva no ha sido valorada como merece), tras haberse carcajeado aquí y allá de brujas y demonios, fantasmas y aparecidos, se detenga temerosamente ante el límite de la ortodoxia, no franqueable sino con grave peligro. En el trozo tercero de la *Vida* escribe: «Las brujas, las hechiceras, los duendes, los espiritados, y sus relaciones, historias y chistes me entretienen y me sacan al semblante una burlona risa...» Pero, añade prudentemente a continuación, «... no las niego absolutamente. Tengo presente... al padre Martín del Río en sus *Desquisiciones mágicas*, y muy en la memoria los actos de fe que se han celebrado en los santos tribunales de la Inquisición, en los que regularmente se castigan más majaderos, tontos y delincuentes... que brujos y hechiceros» (páginas 125-127)[29]. Sus temores no eran injustificados, y quién sabe si para entonces había recibido el soplo de que el Santo Oficio le buscaba las vueltas. En ese mismo año de 1743 la Inquisición lo procesó por su libro *Vida natural y católica*. Entre las proposiciones condenadas y expurgadas figura esta: «Los duendes, brujos, hechiceros, difuntos y diablos son cocos para hacer dormir o callar a los niños.»

---

[28] *Disquisitionum magicarum libri sex.* Jesús Moya ha traducido y editado el Libro II: *La magia demoníaca*, Madrid, Hiperión, 1991.

[29] Cito la *Vida* por mi edición del texto, Madrid, Espasa-Calpe, 1989.

Once años más tarde, en 1754 (Torres, con su vitalidad minada por la enfermedad tras la condena inquisitorial, se había refugiado en el sacerdocio y estaba ya jubilado de su cátedra), se publicó en Logroño la primera edición (seguirían otras más en distintas ciudades) de los *Opúsculos y doctrinas prácticas* del jesuita Pedro de Calatayud, teólogo, famoso predicador de misiones por las ciudades de España e influyente formador de eclesiásticos y confesores. El tomo III trata «De la superstición» y «Del comercio de las brujas con el Demonio, y de sus maleficios». El libro prueba que el magisterio eclesiástico no se había movido ni un ápice en siglo y medio largo. La superstición sigue siendo definida como un pecado, no contra la razón, sino contra la virtud de la verdadera religión; como una falsa religión o culto vicioso, sea en el objeto de adoración (que deja de ser el único Dios verdadero), sea en el modo, por la utilización de ceremonias o ritos propios de paganos, judíos, moros o herejes, así como de reliquias, talismanes y amuletos falsos, diabólica competencia de las medallas y escapularios de curso legal, bendecidos por la Santa Iglesia. Se aprecia, si acaso, la capacidad de adaptarse a las circunstancias (las nuevas costumbres habían ampliado el casuismo de lo pecaminoso), según criterios piadosos no regidos, precisamente, por la racionalidad[30].

El primer aspecto revisable, pues, a la luz de una perspectiva relativizadora, es nuestra percepción actual de un supuesto

---

[30] Así, para el sesudo tratadista, «... *no* es superstición conjurar el día de San Marcos un toro bravo, como se usa en algunos lugares de España y Portugal, de suerte que, llamado el toro y conjurado por el sacerdote, depone su fiereza, sigue al sacerdote, va en la procesión, entra en la iglesia y se está quieto al tiempo de los oficios divinos, hasta que, despedido, torna a revestirse de su antiguo furor. Si esto fuera superstición... ya Dios nuestro Señor con alguna providencia, es creíble, lo hubiera impedido, y si fuera fe errada y supersticiosa confianza en Dios, no hubiera durado tantos siglos». En cambio, es pecado de superstición «... el decir un hombre a una mujer, llevado de su ciega pasión y torpe amor: 'Vos sois la verdadera deidad, vos sois toda mi felicidad verdadera y mi bienaventuranza...', etc.». Y «... doblar los hombres en las visitas la rodilla a mujeres nobles con una especie de genuflexión introducida, que llaman *quebradillo*, o es una gran falta de juicio en hombres barbados, o una política muy ajena del espíritu del cristianismo» (págs. 193-194 y 196 de la mencionada edición de Logroño, 1754).

origen vulgar y de la naturaleza eminentemente popular de unas creencias y unos saberes que, en cambio, fueron objeto durante siglos de reflexión y elaboración doctrinal por parte de los representantes del pensamiento dominante y de la ciencia oficial. Es sumamente difícil encontrar, en perspectiva histórica, el testimonio directo del pueblo sobre sí mismo, suplantado por el de quienes lo reflejan e interpretan, lo educan y controlan. En todo caso, resulta evidente que, históricamente, sabios y vulgo ignorante no constituyeron en este aspecto dos ámbitos de creencias distantes ni enfrentadas. En la literatura culta, y no en la popular, viven la homérica Circe y la Medea de Eurípides, la Canidia horaciana y nuestras familiares Trotaconventos y Celestina. Y, más que a la tradición popular, es a los tratados de teólogos, filósofos, médicos y humanistas (frecuentemente todo en uno), a los que hay que acudir para conocer lo que nuestros antepasados creyeron y supieron sobre astrología y alquimia, demonología, magia y brujería, capítulos que tenían lugar reservado en la estructura de los *Compendia* filosófico-científicos.

Y no hay que pensar que la inclusión de estos fenómenos en el ámbito de lo realmente existente estuviera superado en la época de nuestro Piscator, o fuera propio en exclusiva de los representantes del escolasticismo más dogmático. Mencionaré solo, por especialmente significativo, el caso de Tomás Vicente Tosca, habitualmente incluido, gracias a los encendidos elogios de Mayans, en el grupo de los *novatores*, y a quien el mismo Torres, en su orfandad cultural autodidacta, reconoció como el maestro que lo había liberado del aristotelismo y enseñado a ver el mundo de otra forma. El *Compendio matemático* de Tosca (1707-15, reimpreso varias veces hasta 1784) incluye un tratado de astrología ampliamente receptivo y crédulo, en su asumido eclecticismo, respecto a las capacidades pronosticatorias de tal ciencia. Y tampoco falta en su *Compendium philosophicum* (1721) el habitual tratado «De metaphysica reali» (tomo V, tratado XI) propio del modelo escolástico, con su no menos habitual capítulo «De daemonibus», donde se sigue afirmando que brujas y magos son a veces realmente transportados corporalmente por el demonio a sus nefandas reuniones (pág. 409); que existen duendes, homúnculos y diminutos seres, no siempre malignos o demoníacos, que habitan en determinadas casas; que «los espectros son frecuentemente demonios, a veces también ángeles buenos, y a menudo almas de los difuntos». Y respecto a la existencia de los endemoniados, «respondo —dice— afirmativamente, contra la opinión de algunos ateos impíos» que lo atribuyen a ciertas enfermedades naturales (pág. 413)[31].

Es verdad que en el caso de la astrología existían peculiaridades que resultaron desfavorables para el Piscator. Aunque, como se ha recordado, la astrología formaba parte desde siglos del pensamiento oficial, la Iglesia convivió siempre a desgana con esta pieza del edificio escolástico, por sus peligrosas implicaciones con el principio del libre albedrío. Las prohibiciones de la astrología judiciaria se renovaron periódicamente, pero siempre se admitió la astrología (la independencia científica de la astronomía no se había aún consumado) aplicada a la agricultura, la navegación y la medicina. El poder político toleró los populares almanaques, siempre que sus predicciones no resultaran molestas para la realidad política del país (de hecho, la prohibición definitiva del género se produciría en 1767, cuando al anciano y ya acabado Torres le atribuyeron gratuitamente otro sonado «acierto»: la predicción del motín de Esquilache). El pensamiento renovador, que no podía atacar sin peligro y sin encontrar agresiva resistencia otros baluartes del odiado escolasticismo, encontró en la astrología una fácil presa, máxime en unas circunstancias tan favorables. La campaña iniciada por Feijoo en términos doctrinales[32] y llevada por el médico Martín Martínez al terreno de los ataques directos contra Torres, arrastró a este a una polémica autodefensiva cuyos efectos para su imagen intelectual perduran aún en nuestros días, al colocarlo en una situación de enfrentamiento personal con destacados renovadores.

No es este el momento de precisar si en este episodio estaba comprometido su pensamiento, o sólo la defensa de su

---

[31] Las referencias y citas, traducidas, corresponden a la edición de Valencia, Tipografía de Antonio Balle, 1721.

[32] «Astrología judiciaria y almanaques», *Teatro crítico*, t. I, VIII (1726).

pan y su nombre. Pero sí de constatar —aunque la afirmación escandalice, por atentatoria contra los tópicos sacrosantos— que, pese a ese percance, y a la inevitable ambigüedad derivada de su oficio piscatorio, Torres fue un singular compañero de viaje de los renovadores en la crítica de la superstición. La mentada ambigüedad añade, por de pronto, el atractivo de la autoironía: objeto predilecto de su sorna fue también la astrología *ligth* que le dio de comer mientras se divertía. Para los espíritus severos que aborrezcan la mezcla de vitalismo lúdico con asuntos doctrinales puede resultar desconcertante el tono burlesco —tan alejado del tono grave y docto de Feijoo— que suele acompañar al escritor salmantino[33]. El mayor mérito de su crítica es haberse concentrado sobre todo en las raíces mismas de la superstición y el atraso: el dogmatismo escolástico en que Iglesia y Universidad seguían instaladas impávidamente. Y un indudable afán regenerador se percibe en la multitud de opúsculos con los que, en un lenguaje sencillo y comprensible, trata de poner al alcance de todos aspectos útiles y aplicables de las ciencias de la naturaleza (en la medida de sus limitados conocimientos, claro está; hablamos de actitudes e intenciones). No faltan algunos en los que directamente combate la superstición y milagrería populares explicando racionalmente fenómenos extraños: aparentes prodigios como las ráfagas y «globos de luz» (los *ovnis* de la época) no son sino simples meteoros originados por causas físicas semejantes a las que producen los rayos y tormentas (V, 58-61); como físicos y científicamente explicables son los motivos de

---

[33] El registro burlesco no le abandona ni en los textos doctrinales de mayor ambición, como *Vida natural y católica*: «No hay espíritus más desacreditados que los del purgatorio y el infierno. De todos nuestros vicios echamos la culpa al demonio, y el pobre diablo nunca hace, ni puede hacer, más que ladrar desde lejos. Apenas hay nieto en el mundo a quien no se le haya aparecido su abuela, ni pastor que no haya visto a su amo después de difunto, y según el número de apariciones que nos cuentan en cada lugar, hoy estuviera desierto el purgatorio y poblado el cielo y la tierra de almas en pena, que así las llama la vulgaridad... Los duendes son entretenidos, y dejándoles una baraja de naipes sobre la mesa, callan como unos muertos, y aunque no se la dejes también... Seriamente hablando... es descrédito de nuestra valentía vivir amedrentados de tan vanos trampantojos.»

que un cadáver pueda seguir sonrosado y sudando unos días después de muerto[34].

En modo alguno es comparable, ciertamente, esta labor de Torres con la de Feijoo, amplia y abarcadora en los temas, fundamentada en un mayor contacto con la cultura exterior y un muy superior conocimiento de los avances científicos, además de una dedicación intensa y constante facilitada por la vida monástica, frente a la dispersión a la que su vitalismo empujó a Torres. Pero también con un regusto insatisfactorio que no deriva sólo de vacilaciones y contradicciones, inevitables en quienes han de subordinar su razón al dogma, sino de sus silencios sobre la responsabilidad de la Iglesia en aquella amalgama casi indistinguible de ignorancia, superchería y fe religiosa. Complicidad derivada sustancialmente del mismo magisterio eclesiástico, difundido a través de la predicación y la práctica religiosa.

En realidad, tales insuficiencias y timideces perviven en el periodo posterior de mayor auge de la Ilustración, cuando la penetración del pensamiento y la ciencia modernas es más amplia y la actitud de los poderes políticos más favorable. Sea por el deseo sincero de armonizar razón y fe personal, sea por temor al poder eclesiástico institucional, los ilustrados no afrontan con decisión la crítica de la complicidad de la Iglesia

---

[34] *Desengaños razonables...* IV, 284-302, donde podemos leer: «La prontitud devota de nuestro espíritu y crianza, la poca detención en el conocimiento de nuestra máquina corporal y la mucha miseria de nuestra filosofía, nos arroja a empujar hacia la banda de los milagros infinitos sucesos que tienen su derivación de la naturaleza solamente» (pág. 291).

Me permitiré, en clave de humor (denunciadora de cómo todo es posible si se utilizan textos aislados y descontextualizados, como se ha hecho repetidamente con Torres), añadir de regalo el sorprendente efecto de cotejar esa explicación de las incorrupciones con este texto de Feijoo sobre falsos y verdaderos milagros: «Hay, empero, algunas señales que aseguran ser la incorrupción milagrosa, como cuando el semblante conserva después de mucho tiempo la viveza del color, y los miembros su nativa flexibilidad (lo que se refiere de los cadáveres de muchos santos), o se preserva sólo algún miembro, en quien intervino especial circunstancia para que Dios obrase en él la maravilla, como sucedió, según la relación de Rivadeneira, con la lengua de San Antonio de Padua, la cual, treinta y dos años después de su muerte, se halló fresca y rubicunda; privilegio que Dios le concedió en atención a su apostólica predicación...» (*Teatro crítico*, III, VI).

en la superstición popular. Figuras como Moratín, Jovellanos, etc., reservan sus críticas más directas para los documentos privados (cartas, diarios...). Públicamente se moderan o autocensuran (como había hecho Mayans, que eliminó las críticas anticlericales más llamativas al editar algunas de sus obras). Si acaso, se explayan en aspectos en que la Iglesia compartía la necesidad de terminar con los excesos que hacían insoportable la mezcla de religiosidad popular y profanidad: comedias de santos, procesiones, uso de las imágenes religiosas. La Inquisición acalla u obliga a retractarse a las voces más audaces, como la de *El Censor*[35]. Las voces de denuncia indignada se refugian generalmente en la literatura panfletaria y sediciosa clandestina *(Pan y toros*, etc.) del efervescente final de la centuria, y más tarde en la literatura de los liberales exiliados, cuando la traición del poder político renovó su alianza con el inmovilismo y empujó a los españoles al enfrentamiento civil. Claro que también en Europa el pensamiento crítico racional convivió de continuo con el pensamiento mágico, que rebrotó espectacularmente en el final de la centuria[36].

---

[35] «Apenas oigo un sermón sin una invectiva contra las máximas del siglo ilustrado, contra la erudición de la moda, contra los filósofos del tiempo... Mas no me acuerdo de haber oído jamás en el púlpito una sola palabra contra la superstición. Con todo, la superstición es un delito contra la religión, igualmente que la incredulidad; un vicio que, reduciéndola a meras exterioridades y apariencias, la enerva, la destruye, la aniquila...», *Antología de «El Censor»*, Barcelona, Labor, 1972, pág. 82.

[36] Si en España nuestra insuficiente y efímera Ilustración fracasaba sin haber logrado transformar a fondo la sociedad ni acabar siquiera con los realísimos fantasmas institucionales del Antiguo Régimen, en Europa, desde las últimas décadas del XVIII, una nueva oleada de pensamiento mágico presidía la moda e inundaba incluso las capas sociales más elevadas. Por las cortes europeas se paseaban Casanova, deslumbrando con sus extraños experimentos, Mesmer (1733-1815), magnetizando a sus clientes, y el gran Cagliostro (1743-1795), mago de la vieja escuela, subvencionado por príncipes y aristócratas en sus experimentos de alquimia, adivinación, curanderismo y nigromancia. Christian Friedrich Hahneman (1755-1843) fundaba la homeopatía que, con el mesmerismo —y sin que esto signifique confundir estas manifestaciones en la misma acientificidad de las demás—, proporcionaba al curanderismo renovados recursos y sobre todo nuevas legiones de charlatanes y aprovechados. Emanuel Swedenborg (1688-1772) *(De coelo et eius mirabilibus, et de inferno ex auditis et visis*, Londres, 1758) dio nuevos bríos doctrinales y prácticos a todos los

36

Es hora de volver a los almanaques de Torres. No es posible negar la ambigüedad que implica el simultanear las burlas a una actividad «sospechosa» y desprestigiada con el lucrativo ejercicio de la misma. Pero, al margen de ello, basta asomarse a los textos para comprobar la improcedencia de acusar a Torres de connivencia con la superstición[37]. Un tono desmitificador, distanciado y burlesco impregna cada página de los almanaques y, en sugestiva inversión, los convierte en una especie de parodia o contrahechura jocosa del género. Y es que,

---

espiritismos, misticismos y ocultismos, sin poder adivinar que, para afrenta del positivismo decimonónico, resucitaría apoteósicamente en la confusión de la crisis finisecular que da paso a este siglo XX tecnológico, cuyas postrimerías tampoco se han visto libres de un rebrote semejante de las modas esotéricas.

Arturo Castiglioni (*Encantamiento y magia*, México, FCE, 1772, pág. 282) ha escrito que la magia «es un intento de evasión y de afirmar la independencia ante las leyes humanas; es una evasión hacia el Cosmos, una reversión hacia los vínculos primitivos que ligan a todos los seres vivientes; es *una tentativa de rebelión ante todas las leyes sociales, que en un momento determinado se sienten demasiado estrechas o demasiado injustas, es una vuelta al individualismo antisocial*». Lo que equivale a decir, podemos apostillar por nuestra cuenta, que el único antídoto eficaz contra la magia sería la realización de la utopía de una sociedad instruida, justa y feliz. Pero, mirando a la historia, el cínico añadiría que está empíricamente demostrado que, por irrealizable y místico, este ideal de la sociedad feliz y justa no deja de ser un «pensamiento mágico». Es decir: pura superstición.

[37] Ello es aún más perceptible, si cabe, en los pocos almanaques cuyas escenas literarias están ambientadas precisamente entre brujas o hechiceras. En *El altillo de San Blas* (1737), una vieja hechicera condimenta en una sórdida covachuela sus ingredientes mágicos, y del caldero van surgiendo figuras que versifican los pronósticos. En *Las brujas de los campos de Barahona* (1731) asistimos a un grotesco aquelarre en el que las coplas con las predicciones son cantadas y bailadas por la «diabólica» asamblea. Pero no hay margen para la sospecha. Un tono de degradación esperpéntica convive con el puro juego (jocosas tiradas de versos esdrújulos: «Sirvan los versos líricos / de estos discursos mágicos / para alimento pútrido / de holgazanes y zánganos») y aun con la crítica de realidades bien mundanas (el estribillo de otro baile repite: «Que los jueces y las brujas / todos chupamos; / unas niños, y otros cuartos»). Al acoger estos temas y al tratarlos como los trata, el autor seguramente mata varios pájaros de un tiro: atrae al público con un cebo morboso para hacerlo asistir a la destrucción grotesca de la superchería; y tal vez, en el trasfondo, pueda adivinarse una mueca de sorna dirigida a quienes habían denunciado posibles implicaciones diabólicas en la pronosticación astrológica (sin ir más lejos, el mismo Feijoo, quien sin embargo concede generosamente que el caso no sea frecuente entre los astrólogos católicos).

como se indicó al comienzo de este apartado, la más sorprendente y original innovación de Torres procede de su capacidad literaria. El salmantino fue consciente de la verdadera diferencia que lo separaba de sus predecesores y de la recua de imitadores. «Yo heredé sus embustes, y mañana me sucederá a mí otro bobo que adelante los míos», le responde al difunto Sarrabal en su carta. El secreto de su éxito no está en los conocimientos astrológicos que su predecesor le niega, sino en haber dejado de aburrir a los lectores con las tópicas predicciones, poniéndoles «los embustes en punto de golosina». El nuevo atractivo no tiene nada que ver con la adivinación, sino con la literatura. Sarrabal denuncia al nuevo Piscator por romper las reglas del oficio y el modelo establecido, por «ajar la profesión» con sus innovaciones de metáforasteatrales, versos, sátiras en las que no deja títere con cabeza.

La renovación estructural que Torres aportó al género consistió en revivificar el viejo esquema[38], anteponiéndole sistemáticamente tres nuevos componentes hacia los que se desplaza el centro de interés: una larga dedicatoria, el jocoso prólogo al lector y, sobre todo, una pieza literaria (la *Introducción al juicio del año*) que da título al almanaque. Aunque los dos primeros elementos no carecen en modo alguno de interés[39], pues constituyen importantes regueros de la gran vena autobiográfica que alimenta y personaliza toda la obra de un autor que «vive en estado de autobiografía permanente», como nos enseñó a ver Mercadier, la aportación más renovadora y

---

[38] Éste incluía el *juicio* astrológico *general del año* (de acuerdo con el planeta dominante), al que seguían los juicios particulares de las estaciones y la información de cada mes, en la que a las efemérides, movimientos de los astros, etc., se añadían las vagas predicciones, de infalible cumplimiento por pura estadística).

[39] La dedicatoria, dirigida a un noble o personaje influyente (sin excluir en ocasiones, osadamente, al mismo rey) y orientada a granjearse favores o agradecerlos, trasluce los problemas o inquietudes de cada momento, y a veces adquiere un valor autobiográfico transparente e incluso patético, como en los años del destierro. Valor que también tienen los prólogos, personalísimos, inconfundibles: una fiesta de la comunicación con sus lectores, burlesca inversión de la *captatio benevolentiae*, hecha de agresividad pactada en incruentos insultos, autoburla y orgullosa rendición de cuentas sobre el estado de su vida y fortuna.

atractiva es la pieza literaria, que puede deparar al lector des-
avisado inesperados hallazgos.

Se trata casi siempre de una ficción narrativa, aunque no
falten muestras de estructuras teatrales propias del melodrama. El personaje central del relato es siempre el propio Torres. Y no como mera solución técnica, una voz narrativa en
primera persona, sino el autor-narrador que se introduce en
el texto con su biografía a cuestas y las inquietudes de cada
momento y que, siempre itinerante por cambiantes espacios
rurales y urbanos, se relaciona con una abigarrada galería de
personajes: gitanas y ciegos vendedores de sus almanaques,
estudiantes sopones, locos, enfermos y médicos, clérigos y
sacristanes, pastores y aldeanos. Con ellos penetra en la
rración una rica gama de registros estilísticos, de hablas co-
loquiales y jergas, con los que el autor, a impulsos de la originalidad y la frescura de su inventiva, puede colorear desde re-
tablos expresionistas de degradación esperpéntica a cuadros
costumbristas, con pinceladas de tan luminoso realismo que
R. P. Sebold ha podido considerarlo precursor de la gran literatura costumbrista del siglo siguiente[40]. Además, sabe hacer
un uso paródico de fuentes literarias, domina el repertorio tradicional de formas poéticas, cultas y populares, puesto al servicio de sus designios burlescos. Por añadidura, no solo lleva
el testimonio de su vida y sus inquietudes a esas páginas populares supuestamente deleznables, sino el testimonio y la crítica de la realidad de su tiempo, a veces con resonancias de
sorprendente modernidad y valentía[41]. Todo cabía en los al-

---

[40] «El costumbrismo y lo novelístico en los Pronósticos de Torres: Análisis
y antología», en Sebold [1975].

[41] En el Almanaque para 1730 puede leerse este pasaje subversivo: «La ira
de la ambición, la vanidad de las pandectas, el derecho de las gentes y el tuer-
to de los diablos, han hecho tan desigual partija de los bienes comunes naturales, que entre cuatro monarcas, diez príncipes, veinte duques y catorce hidalgos han partido toda la tierra, y a los demás que alentamos en el mundo
político no nos han dejado suelo que pisar ni fruto que comer, con que en algún modo estamos precisados a hurtar y mentir para sacarles algo; porque si
nos confiamos en su caridad o en el precepto que tienen, nos moriremos de hambre. Compongámonos, y hurtemos con consideración, y mintamos sin perjuicio» (IX, 101). La Inquisición expurgó un pasaje semejante, aunque expresado en
tono grave, de Vida natural y católica, publicada el mismo año de 1730.

manaques[42]. En los de Torres, habitualmente esgrimidos contra él como prueba de desprestigio, cupo además mucha y a veces buena literatura. En ellos duermen las páginas más frescas de una olvidada o desatendida narrativa de la primera mitad del XVIII, en un siglo al que se ha considerado poco propenso al placer de novelar.

En cuanto al público de los almanaques, no nos es posible reconstruir con fiabilidad la recepción popular de los mismos. Las referidas denuncias de la época respecto a la naturaleza y efectos supersticiosos del género no resultan muy probatorias, ni anulan la impresión de que lo que el pueblo aún no soberano buscaba mayormente y encontraba en ellos era diversión. Sí consta, en cambio, la vocación de universalidad en cuanto a sus destinatarios. La presencia, a veces, de elementos cultos[43] desmiente que solo el vulgo más ignorante se interesara por ellos. En *Academia poética-astrológica*, precisamente el Almanaque de 1725, hay un precioso texto («Torres a su Pronóstico») en el que se esboza una especie de precocísima crítica o «estética de la recepción». El autor se dirige amorosamente a su recién alumbrada criatura literaria[44], y la aconseja para el recorrido que la espera en su salida al mundo: «Un año tienes que rodar, y no habrá mansión, desde la Corte al monte, que no veas.» Un largo viaje que, desde los zurrones de los ciegos encargados de su venta, se inicia en la

---

[42] «Ciencia, educación, pensamiento novador, medicina, fantasía, patrañas, todo cabe en los pronósticos», ha escrito Iris M. Zavala [1978: 207]. La misma autora [1984], al contemplar los almanaques de Torres desde las modernas lentes bajtinianas, los adscribe a la cultura carnavalesca de la risa por su naturaleza popular, su búsqueda de la diversión y su moral transgresora, y los enlaza con un tipo de «utopía popular», relacionado con unos ideales de igualdad, libertad personal y bienestar económico al alcance de todos, propios del público burgués de los almanaques.

[43] Por ejemplo, en el Almanaque para 1725 (cuyas sátiras mordaces le reprochan acusadoramente a Torres en *Correo* sus corresponsales), al criticar a los altivos maestros y doctores universitarios, recoge un muestrario de cuestiones típicas del estéril debate escolástico, con latinajos incluidos.

[44] «Ya te engendré, ya saliste, hijo mío, de las oscuras entrañas de mi fantasía, ya dejaste el zurrón, y por fin te lavé en la prensa las manchas de tu primer original; y pues ya estás aseado y en sazonada edad, es forzoso que vayas a recorrer el mundo, aunque con bastante dolor de mi alma, porque sé que vas vendido a público pregón» (IX, 3).

Corte para recorrer todos los estamentos sociales: Palacio, las casas principales («buen hospedaje te prometo el primer día en sus gabinetes; pero el segundo ya rodarás sus antesalas, y en poder de pajes, que a buen librar te ahorcarán de un tapiz, y aun me temo que te merienden alguna mañana»); las puertas y patios del Real Consejo entre la turbamulta de pretendientes, litigantes y abogados; y la retahíla —en una enumeración salpicada de observaciones satíricas— de los profesionales (médicos, escribanos y contadores, músicos, la turba de los bachilleres), sin excluir a los maestros y doctores de las universidades que, sea por lucidez o por el proverbial sentido de la justicia del autor, son los peor tratados. Para terminar al fin, ya relajada y gozosamente, entre los humildes: «Solo en las aldeas te espera buena vida, que la sencillez de sus moradores te dará más crédito que el que llevas en mis letras; y en sus cocinas al humiento calor de los tizones reirán tus gracias, y echarán mil bendiciones a quien te parió. Los sacristanes y barberos, y si hay herrador también, que son los senadores de las campiñas, harán sus réplicas, pero los convencerás con cualquier juguete, y todos viviréis a la buena de Dios. [...] Adiós, hijo mío, y buen viaje.»

El texto testimonia la transparencia del pacto con su público preferido. Y, sobre todo, el desdoblamiento por el que, a través del espejo de su humilde criatura literaria, el autor se contempla gozosamente a sí mismo en el recreado escenario de su popularidad. Torres *es* ante, con y por su público. Se comprenderá así que, en el Almanaque para 1742, el Gran Piscator de Salamanca lance contra él, con desfachatez genial, esta cínica acusación llena de lucidez: «Dios te perdone los desatinos que me has hecho escribir» (IX, 283).

Los equilibrios filosóficos

Se duele Aristóteles, al comienzo de su carta, de haber oído que «... vuestra merced habla mal de mí y de mi filosofía». De que la imagen de Torres no era entonces la de un tradicionalista hay algún testimonio significativo. Cuando en 1726 estalla la polémica de la astrología, el P. Isla le reclama a este que

41

sea consecuente con sus ideas: «yo me holgaría que, ya que vuesa merced en prólogos, papeles y diálogos se ha declarado escéptico, fuese de los nuestros; que se le daría indulgencia plenaria y remisión de todas sus *Posdatas*, sólo con que dijera conmigo: "Padre nuestro que estás en Oviedo"»[45].

No podemos saber qué debía esa imagen a los pronunciamientos orales del escritor en las tertulias de los círculos intelectuales madrileños, y hemos de atenernos a su aún escasa obra. Con *Viaje fantástico* (1724), su único libro por entonces, había iniciado su labor divulgadora, que habría de constituirse en una de las líneas destacadas de su producción. Era una especie de breve y asequible enciclopedia de bolsillo, obviamente según el modelo del *compendium* escolástico, el único que entonces existía. Pero incidía esencialmente en las ciencias de la naturaleza, y no faltaban en él destellos novedosos: la afirmación del empirismo frente a la especulación formal escolástica, los primeros reflejos de terminología y concepción atomísticas[46] y la referencia positiva a la teoría copernicana, con las prudentes salvaguardas habituales en el pensamiento renovador. Tras describir los movimientos de la tierra según Copérnico, afirma: «No hay duda que, aceptada como hipótesis, esta opinión es maravillosa para conocer y explicar mejor los fenómenos de los cuerpos celestes; pero en darle real movimiento, nos oponemos a muchos lugares de la Sa-

---

[45] *Glosas interlineales*, en *Colección de papeles crítico-apologéticos*, I, 85. Como lo que Torres pretendía defender era su nombre y su trabajo y no planteamientos irracionales o supersticiosos, se produce efectivamente, tras las primeras escaramuzas, un esfuerzo de ponderación conciliadora, con el evidente deseo de terminar la polémica. Véase el trabajo de Martínez Mata [1987-1988] sobre *Carta del ermitaño*, un texto de Torres que no se conoce.

Salvador José Mañer, en su *Anti-Theatro crítico* (Madrid, 1731, I, 59-60), da testimonio del respeto que Feijoo tenía a Torres. Hallo el dato en Álvarez de Miranda [1998: 82] quien, fiel a la tradición, apostilla que Feijoo «ni que decir tiene, y pese a lo que Mañer sorprendentemente dice, no sentiría el menor respeto por D. Diego» (pág. 90).

[46] «Esto de ver con el entendimiento es bueno para los metafísicos; yo, si no me informo con los ojos, me río de toda la filosofía» (pág. 7 de la edición de Salamanca, 1724). «Compónese esta agua del mar de átomos, partículas o corpúsculos sulfúreos, crasos y salitrosos, y de otros átomos más sutiles, fluxibles y dulces...» (pág. 18).

grada Escritura»[47]. Tras lo dicho en las páginas precedentes, no sorprenderá ya que sea en los almanaques donde se encuentren las críticas más persistentes y duras contra el aristotelismo escolástico. Aparecen en el ya citado Almanaque de 1721 (que a su vez alude a las de alguno anterior cuyo texto no se conserva), y sobre todo en el de 1725, que provoca el reproche de varios de los interlocutores epistolares de *Correo*[48].

En el primer apartado de este estudio se propuso la adecuada perspectiva para medir el nivel de modernidad intelectual de ese momento: las aportaciones y actitudes de los *novatores* de la generación inmediatamente anterior. Con ellas conecta Torres[49]. Su postura antiescolasticista sería constante, casi rayana en lo obsesivo; expresada en variados registros —de la crítica razonada a la sátira burlesca o la alusión zumbona— y orientada a múltiples planos: el desinterés por los verdaderos saberes, que son las ciencias de la naturaleza; el

---

[47] Pág. 14. Es un anacronismo, en el que incurren incluso sabios autores (el último Sánchez Blanco [1999: 82]), escandalizarse de que incluya también las teorías sobre demonios y demás ralea, presentes en los modelos a su alcance, como en el *Compendium Philosophicum* de Tosca y en la declarada fuente de inspiración del *Viaje*: las obras de Athanasius Kircher *Iter exstaticum* y *Mundus subterraneus*.

[48] El ignorante Piscator alimentaba a veces con extraños alimentos la ignorancia de su público: «En los pueblos copiosos pórtate punto menos que en la corte —aconseja a su recién nacido almanaque—. Y si es población donde hay universidad, observa con reflexión su turba. De los cursantes solo te advierto que son mozos y libres; pero a los bachilleres, maestros y doctores (que serán los que, preciados de cátedra y rebosando silogismos, se mofen de tu crédito), pregúntales por la verdad de sus doctrinas y, sin turbarte, arguye con sus demostraciones. Si es teólogo, pregúntale si cesó aquella física predeterminación que le ha costado tantos gritos. Si es médico, procura averiguar si sabe ya ciertamente... *si datur talis causa continens in omnibus vel in aliquibus morbis.* Si es filósofo, pregunta *si in viventibus corporeis datur alia forma praeter formam viventis.* Si es lógico, si acabó de saber ya *si relatio praedicamentalis sit quid reale distinctum ab extremis...* Y en fin, si es jurista, dile *si ex confessione quam quis facit productus in testem possit in aliquo iudicio tanquam principalis conveniri.* Y todos te responderán eso se disputa, eso se duda, esa escuela lo defiende *afirmative,* la otra *negative...* Pues doctores médicos, teólogos y juristas, ¿para qué dais gritos? ¿Para qué gastáis el tiempo en disputar cosas que al fin de tantos siglos os estáis con la misma ignorancia y cada uno en sus trece? Determinad o trabajad sobre lo ya cierto..., dadnos demostraciones y no opiniones» (IX, 6-7).

[49] Resumo aquí solo algunos aspectos esenciales de la trayectoria intelectual de Torres, que abordé en «Para una revisión de Torres Villarroel» [1998].

43

absurdo método de conocimiento, de estéril conceptualismo formal; el dogmatismo, prepotencia y orgullo de sus representantes; los nefastos efectos sociales que, en forma de ignorancia, provocaba la vacua enseñanza que en las «academias dormidas» de las universidades impartía la «nebulosa piara» de sus orgullosos moradores. En el texto de *Correo* encontrará el lector una declaración de adhesión íntima y vital a la ciencia, sentida —más allá de su provecho inmediato como vendible objeto de divulgación o instrumento para dignificar la personalidad social del Piscator— como necesidad existencial: «Y en mi juicio, solo es sabiduría la que estudia en la naturaleza de los entes. ¿Por qué he de nacer yo hombre y me he de morir como un borrico, sin saber qué fui ni qué es el hombre? ¿Por qué no he de saber yo cómo se producen, engendran y se aumentan estos vegetales? ¿Por qué he de ignorar qué es esta tierra que me sufre, esta agua que me humedece, este aire que me alimenta y este cielo que me gobierna, influye y mantiene?» (pág. 180).

Para esta nueva ciencia, útil para la vida, reclama también Torres la emancipación respecto a la teología, dentro de un comprensible y temeroso respeto a la ortodoxia católica[50]. Es permanente su afirmación del empirismo. Tanto, que la exigencia de comprobación experimental lo acompaña en los aciertos y en los yerros, en su adhesión por principio a una nueva forma de enfocar el conocimiento y en su desconfianza hacia concretas fórmulas o postulados que, aunque procedan de los modernos, no le parecen suficientemente contrastados o acreditados por la práctica. Defiende el criterio de la razón personal frente al argumento de autoridad, que inunda los tratados de citas eruditas contradictorias e inútiles, y el uso científico del español frente al latín. Contribuyó en primera

---

[50] Por ejemplo: «Nosotros hemos de ser filósofos tan mecánicos e incrédulos que no hemos de abrir las puertas de la credulidad si no es a bultos visibles, y la fe la hemos de guardar para nuestros sagrados misterios» (I, 151). Cuando se trata de materias no relacionadas con la fe, Don Diego no se priva de desmentir incluso a los Santos Padres para defender la evidencia experimental, si bien la inexactitud científica de los piadosos varones queda justificada por su afán moralizador (*Arte nuevo de aumentar las colmenas*, V, 210).

fila a crear un lenguaje funcional, comprensible para todos, al servicio de la divulgación científica. Y su labor en este campo —pese a su heterogeneidad y lo dudoso de su rigor— conecta precozmente con uno de los principales rasgos de la conciencia progresista, como es la preocupación por una educación práctica, útil para el bienestar individual y necesaria para el progreso colectivo[51]. Finalmente, eclecticismo y escepticismo[52] serán componentes profundos de su mentalidad y pensamiento.

Lo que no quiere decir en modo alguno que Torres llegara a ser propiamente un ilustrado. Ni que su obra acogiera nunca un *corpus* científico avanzado, inexistente en la España en la que abrió los ojos, ni, desde luego —¿quién lo hizo a su alrededor?—, que aportara alguna contribución al avance de la ciencia (el título de «catedrático de Matemáticas» parece generar expectativas incumplibles[53]). Pero mucho menos fue el

---

[51] Como antes se apuntó, en multitud de opúsculos trata de poner las ciencias de la naturaleza al alcance de todos: una sencilla medicina práctica y esencialmente preventiva; «astrología natural» aplicada a las previsiones climáticas para las cosechas, tiempos adecuados de siembra, enfermedades de los ganados y las personas; composición y virtudes de las aguas medicinales; cuidado de las abejas, etc.; explica científicamente a las gentes (en la medida de unos conocimientos al principio muy rancios, pero que van evolucionando) los volcanes, eclipses, cometas y terremotos. Y, como quedó apuntado, combate las supersticiones y milagrería populares explicando racionalmente fenómenos extraños. Es cierto que esta labor fue asistemática, aplicada a veces a cuestiones chocantes, frivolizada otras por su inmensa capacidad de diversión y de burla (como la explicación «atomística» de la exactitud del canto del gallo en un opúsculo que habrá que mencionar más adelante a propósito de *Sacudimiento*). Con todo, no creo que ni la intención ni la obra de Torres merezca juicios tan severos como el que de pasada le adjudica J. A. Maravall, para quien el escritor es «un personaje impermeable al espíritu de la Ilustración», y su postura ante la educación «antitética de la ilustrada» («Idea y función de la educación en el pensamiento ilustrado», en *Estudios de historia del pensamiento español (siglo XVIII)*, Madrid, Mondadori, 1991, págs. 499 y 502).

[52] En *Correo* se cita al humanista Francisco Sánchez, autor de *Quod nihil scitur* (1581), presente también en textos de los *novatores*.

[53] No deja de ser una amarga burla del destino que uno de los pocos disidentes del inmovilismo opaco y la postración de la universidad haya quedado como excepcional «garbanzo negro» de la misma. Que yo sepa, no hay muchos motivos para recordar a sus compañeros de claustro; y si algunos dejaron testimonio de un nivel intelectual digno, lo hicieron como defensores no asilvestrados del pensamiento escolástico, los supuestamente «eclécticos» que accedieron a conocer los argumentos del enemigo para mejor combatirlo.

contrarreformista rezagado ni el cómplice del oscurantismo que habitualmente nos pintaron[54]. Rebelde mucho más que cómplice, fue un hijo legítimo de las contradicciones y limitaciones de su época, a las que se unieron sin duda sus propias insuficiencias: formación inicial muy deficiente, escaso contacto con la cultura europea, dispersión a la que su vitalismo irreprimible le empujaba. El lector encontrará en *Sacudimiento* el clarividente testimonio del autor respecto a la ambigüedad en que hubo de debatirse y la distancia insalvable entre la realidad y las aspiraciones: «Soy un estudiantón entre arbolario y astrólogo, con una ciencia mulata, ni bien prieta ni bien blanca, licenciado de apuesta entre si sabe y no sabe» (pág. 216).

En todo caso, 1725 —por los vientos represores y la situación comprometida de Torres, evocados al principio— no era un buen año para andar de progresista por la vida. Es el momento de recoger velas y matizar posturas, en prudente retirada estratégica. No falta la coartada —usada por los novatores y antes por los humanistas críticos del XVI— de distinguir entre el Aristóteles original del deturpado por la deficiente transmisión de sus textos. Pero el gran motivo de temor asoma en el diálogo con el amigo que le sirve de interlocutor: «Y me alegro que nos remita los originales elementos de su filosofía, que así no tendremos duda, viniendo de su mano. Y doy palabra a mi curiosidad de darle gusto en la lección, y apartar el ánimo de opiniones que niegan accidentes; que esta idea puede arrastrarme a los peligros»[55] (págs. 174-175). Re-

---

[54] No entró con buen pie Diego de Torres en la historiografía del XX. Desde que Fitzmaurice Kelly —por cuyo manual estudiaron historia literaria algunas generaciones de intelectuales— lo llamó aquello de «presbítero picaresco y mal sujeto», y Gregorio Marañón, para ensalzar a Feijoo por contraste y defender a Martín Martínez, abundó con lo de «famosísimo tunante», y en coherencia Valbuena Prat editó la *Vida* en el volumen de la novela picaresca, Torres quedó convertido en un intruso en su siglo, en una especie de bufón al que todo historiador que pase por el XVIII debe abofetear sin contemplaciones en nombre y a la salud de la Ilustración. Abrumada por tal unanimidad, la crítica torresiana más influyente aceptó la nulidad intelectual y el atraso de Torres, conformándose con revelar valores literarios (Pérez López [1998: 15-16]).
[55] El abandono de la física aristotélica por la atomística dejaba sin explicación «racional» (la distinción sustancia-accidente) al dogma de la Eucaristía.

cuérdese que los conservadores habían llevado la discusión intelectual al terreno amenazante de la ortodoxia religiosa.

«Verdad es que en algunos problemas no he querido creer a vuestra merced. Y luego, como han escrito otras filosofías, dudoso yo, no sabía ni es posible elegir» (pág. 176). La existencia de una estrategia defensiva no es incompatible con la percepción también de unas dudas sinceras, de una confesión de inseguridad y aun perplejidad, explicables en un momento intelectualmente conflictivo, en que una mentalidad de arraigo secular se resquebraja, sin que se perciba el horizonte de nuevas certidumbres.

La perplejidad no le impide al divulgador compulsivo aprovechar la ocasión para insertar al final un resumen manualesco de la vida y obras de Aristóteles.

La imagen de Torres pasaría por un duro trance al año siguiente, cuando estalla la polémica de la astrología[56], que lo puso en el incómodo papel —a ojos de la posteridad— de «malo de la película». Porque por más que él defendiera una astrología «natural o experimental», depurada de adherencias supersticiosas, las vetustas raíces de tal ciencia lo dejan en inferioridad de condiciones. Y a la hora de esgrimir *autoridades* en su defensa sólo puede apoyarse en una erudición rancia. Escritos como *Entierro del Juicio Final* marcan los momentos más bajos del proceso intelectual de su autor. Pero no me parece cierto ver en tal polémica el enfrentamiento del oscurantismo y el pensamiento moderno. Se discutían teorías desde semejantes actitudes mentales. Bajo la polvareda levantada por el orgullo herido y el instinto de autodefensa, ambos contrincantes se aferran al valor empírico de sus respectivos argumentos. Torres no puede aceptar que Martínez niegue algo tan comprobable como la influencia de «los cielos» (sol, luna, cambio de las estaciones, clima...) sobre mares, tierras, animales y salud humana[57].

---

[56] Martín Martínez ataca directamente a Torres en *Juicio Final de la Astrología* (Madrid, 1726); este responde con *Entierro del Juicio Final* (Madrid, 1726) y —jugando al equívoco humillante en el título, para que se enfadara siglos después Marañón— *Posdatas de Torres a Martínez* (Salamanca, 1726).

[57] A Martínez se le fue la mano en su negación de los influjos astrológicos y en su fervor químico-atomístico, y rechazaba la influencia de la luna en las mareas, que explicaba por un complejo proceso de fermentaciones químicas.

Desde entonces y hasta 1937 (año de *Los desahuciados*, su último libro importante de contenido científico), Torres evoluciona en un proceso de progresiva permeabilidad al pensamiento y corrientes científicas modernos. Especialmente revelador resulta en este aspecto el cotejo entre las dos versiones de una lúcida y reflexiva confesión del autor sobre sus fuentes de conocimiento y su postura ante el debate filosófico y científico. Me refiero al episodio del cervantino escrutinio de la biblioteca en *El ermitaño y Torres*. Las diferencias entre la edición de 1726 y su refundición de 1738 son abismales. Las estanterías de la primera versión exhiben un paupérrimo contenido, que permite comprobar la precaria formación inicial del escritor. En 1738 no solo se ha multiplicado el número de volúmenes, sino que se han renovado los autores y los comentarios son mucho más amplios y matizados. Torres ofrece su selección de textos fundamentales de filosofía, ciencia y literatura y los enjuicia con serena lucidez.

Los filósofos seleccionados son Bacon de Verulam[58]; Descartes, «maestro del nuevo sistema», que junto con otros modernos ha dado más luces «para el conocimiento de las cosas físicas, que todos cuantos siguieron hasta ahora al Peripato»; Maignan y Saguens, fuentes inmediatas del cartesianismo reorientado de los *novatores*. Precisamente, no faltan en la biblioteca los libros de Tomás Vicente Tosca, a quien Torres proclama como su primer maestro, que lo rescató del aristotelismo[59]. Sin olvidar la defensa de Feijoo frente a los impugnadores del *Teatro crítico*. Innecesario, pero conveniente desmentido del repe-

---

[58] De él afirma que «... fue el filósofo más juicioso, serio y profundo que ha habido desde que la razón de los hombres se movió a las averiguaciones del orden del universo y a la composición de los entes. Su *Nuevo órgano de las ciencias* vale más que cuanto escribieron Aristóteles, Epicuro y Demócrito. Él es la verdadera Lógica y el legítimo instrumento de saber, porque si se puede saber alguna cosa es por su medio de la filosofía inductiva» (VI, 15).

[59] «La primera filosofía que aprendí... fue la que exponen los peripatéticos y, después de haberme llenado el celebro de precisiones, ideas y formalidades, me hallé tan en ayunas de la naturaleza como cuando salí a ver esta gran máquina del Mundo. Con que, persuadido de mi ignorancia, me dediqué al estudio de esos libros que compuso el Padre Tosca, y empecé allí a ilustrarme y a sentirme distinto en el modo de aprender las cosas» (VI, 20).

tido tópico que enfrenta intelectualmente a ambos autores[60]. Imposible entrar con detalle en el largo repertorio de libros de química, farmacología y medicina. Los tratados químicos de Lemery[61] y Kunckel presiden la botica del ermitaño. Respecto a la medicina, pueden destacarse los nombres de Willis y Sydenham, así como una explícita declaración de decantación definitiva hacia las corrientes modernas[62].

Sin embargo, a partir de entonces, Torres no siguió avanzando por el camino abierto de la nueva ciencia en la medida de lo esperable, a juzgar por los antecedentes descritos y por las posibilidades que posteriormente las nuevas actitudes del poder político fueron abriendo. Su silencio tiene el sabor de la derrota. No sólo intelectual, sino personalmente se había enfrentado Torres con la poderosa ciencia oficial, encarnada en el claustro de su propia universidad y en alguna de las órdenes religiosas que la dominaban (jesuitas principalmente[63]). El primer revés verdaderamente grave que sufre Torres es su severo e injusto destierro a Portugal[64] de 1732 a 1734, que desencadena una profunda crisis. Allí decide escribir su vida, que deberá servir de cierre a la recopilación de sus obras que ini-

---

[60] Para Torres, tales impugnadores no saben ni la gramática castellana, dejando aparte «los reparos injustos y debilísimos argumentos con que intentaron desacreditar la crítica del monje, impugnando sus sentencias y paradojas» (VI, 29). La defensa de Torres frente a Feijoo con ocasión de la polémica astrológica fue puramente personal, y no ideológica: se limitó a pedir al fraile que se dedicara a los devotos deberes de su estado y que no se metiera con quien no le había atacado.

[61] La traducción castellana (1716) del *Cours de chimie* de Lemery se realizó por encargo de Diego Mateo Zapata.

[62] «—Reparo —dije al ermitaño— que no tienes libro alguno de los sectarios de Galeno. // —Es que todo lo bueno que los antiguos galenistas traen se comprehende en los modernos, y éstos escriben muchas observaciones adonde no llegaron los defensores del cuaternión» (VI, 17).

[63] Mercadier [1981: 133-134] sospecha, con buena base, que fueron los jesuitas Ignacio Bazterrica, colega de Torres en la Universidad, y José Casani, miembro del Santo Oficio, quienes instigaron la condena inquisitorial de 1743 contra Torres. Este, que ya se había alineado con los dominicos en la lucha de la alternativa de las cátedras, volvió a hacerlo en 1738 en la polémica sobre la nobleza de Santo Domingo *(Soplo a la justicia)*, y chocó de nuevo con su temible enemigo Luis Losada, S. J.

[64] Torres estaba en compañía de un amigo, el aristócrata Juan de Salazar, cuando este hirió a un clérigo en una discusión.

cia en 1738. El proyecto incluía el retirarse definitivamente, como se deduce del Prólogo que su primo Antonio Villarroel firma al frente del primer tomo[65]. El texto de la *Vida* testimonia a las claras en 1743 la recuperación de Torres y su renovada vitalidad. Pero en el mismo año un edicto de la Inquisición ordena retirar y expurgar *Vida natural y católica*, aparecida trece años antes con todas las autorizaciones legales. Esta nueva, gravísima y temerosa derrota ante sus enemigos empujó a Torres a una larga y terrible depresión —seguida de una apoplejía— que minó su naturaleza, quitó el aliento a su capacidad creativa, lo llevó al sacerdocio (1745) y cambió sustancialmente su vida.

Vida natural y católica representa precisamente la síntesis del pensamiento que, en el fondo, bajo su aparente heterogeneidad y dispersión, sostiene el conjunto de la obra torresiana. Se trata de una cosmovisión profundamente ecléctica, en la que cuerpo y alma se armonizan humanamente en el ser, hombre y naturaleza se enlazan en cósmica armonía, para llegar a la final y trascendente armonía del ser y todo lo creado con Dios. El conocimiento científico debe regir la salud del cuerpo y la relación del hombre con la naturaleza; los preceptos de la fe, la salud del alma. Inútil buscar residuos de la mentalidad contrarreformista. Se ha resuelto tanto la confusión como la disociación radical que caracterizan al Barroco español. Lo científico y lo moral no se confunden ya, suplantando la metafísica a la ciencia, ni cuerpo y alma se esciden en conflictiva contraposición, sino que se complementan armónicamente. Es la solución que Torres encuentra no solo al choque histórico entre ciencia y fe que se produce en su tiempo, sino al necesario compromiso entre su vitalismo desbordante y su ortodoxia. Su esfuerzo armo-

---

[65] «Estos trabajos, la pobreza, las persecuciones y otras calamidades, que son notorias, le han cargado de dolencias, achaques, temores y escarmientos, de modo que su cuerpo y su espíritu están ya débiles e imposibles para proseguir los ejercicios de su Escuela y de su inclinación.» Además, reseña las obras que Don Diego «mandó imprimir el año pasado para presentarlos en la Real Cámara de Castilla, con el fin de retirarse así de escribir, como de las tareas de la Universidad; lo que suspendió por motivos que ignoro» (I, s.p.).

nizador fue insuficiente para el sistema, como lo prueba la condena de la Inquisición.

Medicina y leyes: de lo pintado a lo vivo

Desde nuestra perspectiva de lectores, las cartas de Hipócrates y Papiniano se sitúan en un rango inferior de importancia respecto a las anteriormente examinadas, por la menor contribución que Medicina y Jurisprudencia tienen, al menos en apariencia, a la construcción de la personalidad social del autor o a la configuración de su cosmovisión. Mas seguramente no ocurre lo mismo desde la perspectiva de las preocupaciones y actividades que en ese momento están más presentes en su vida. Sus estudios en el Hospital General de Madrid han renovado su contacto con la realidad de la medicina en España, confirmando una doble frustración: los anquilosados e inútiles métodos de enseñanza y la indignante realidad social de su práctica. La necesidad de defender su pan ante los recursos legales de Aritzia y el Hospital General y la tramitación de sus memoriales lo han llevado a perderse en el laberinto burocrático legal, y a la evidencia de la corrupción.

Ambas cartas conectan también de lleno con el gran referente intertextual que permanentemente actúa en el trasfondo de *Correo*: su Almanaque para 1725, en el que esas experiencias desencadenan una dura sátira contra el repertorio de profesionales que configuran la realidad institucional que lo gobierna. No se trata de una repetición mimética de modelos literarios o doctrinales, sino el testimonio vivo de una voz real que habla por las víctimas de esa realidad social. La defensa de los agredidos por la crítica del Piscator está encomendada a sus interlocutores epistolares, que le reprochan su conducta.

Finalmente, y en un sentido más profundo, las dos cartas son imprescindibles para completar el modelo humano y la concepción ideal de sí mismo que el autor va construyendo en el texto. Hipócrates esboza en su carta el modelo de verdadero sabio: «El aplicado debe estudiar primero en los libros de su razón y después seguir las huellas de todos: el camino del médico, la senda del filósofo, el vuelo del teólogo, la ca-

51

rretera de la plata del letrado, los rincones del químico y los escondites del mecánico. El que es docto en una profesión es necio en todo; porque cebarse en apurar lo infinito es bobería e ignorarlo todo es desgracia» (págs. 136-137). *Correo* es un *sueño* no solo por el esquema formal literario en que se apoya; tiene mucho de verdadera ensoñación, en la que Torres se imagina a sí mismo como encarnación de ese ideal científico. Se permite la desfachatez de poner en boca de Hipócrates la confirmación del ensueño («... desengáñense vuestras mercedes, que el saber es lo que hace este muchacho...»), y se regala el lujo —mirando burlonamente de reojo a «sus enemigos»— de que aquel se despida de él con un «de vuestra merced servicial amigo» y Aristóteles, nada menos, con un «de vuestra merced su íntimo apasionado». Gozosa venganza de su fantasía.

Sin embargo, la lucidez y el sentido autocrítico no abandonan al Piscator ni en sus ensoñaciones. Es precisamente en este tramo de la obra donde brota repetida e intensamente —en el diálogo preliminar con el amigo y en la respuesta— el lamento por el lastre educativo ligado a su origen y la maldición por el tiempo perdido y ya irrecuperable[66].

La elección de Hipócrates como modelo no deja de tener sentido en el contexto del debate científico del momento, pues simbolizaba la alternativa renovadora de los escépticos, frente al emblema de los conservadores, que era Galeno[67]. Torres pone en su boca, en efecto, un discurso de afirmación del empirismo, del escepticismo frente al argumento de autori-

---

[66] «Cuando empezaba a alimentarme en mis estudios, me quitó el dulce regalo de la sazón la infeliz fortuna que siempre me ha traído al retortero, poniéndome el pisto en manos ajenas. Una desgracia en los pobres sudores de mis padres cortó las ideas con que intentaban criarnos como a hijos de honrados. Después mis vicios, mi pobreza, mi genio, los malos amigos y los buenos enemigos me pusieron en el infeliz estado de tonto. Apreséme el hambre e hice de ella virtud, y con el ansia de comer me apliqué a la primera vacante...» (págs. 146-147).

[67] *Galeno ilustrado* se titulaba el tratado en el que el catedrático sevillano Alonso López Cornejo refutaba la nueva medicina; *Hipócrates defendido*, tituló Miguel M. Boix el suyo, en defensa de la medicina experimental frente a los dogmáticos. Y en *Medicina escéptica,* de Martín Martínez, los tres médicos que dialogan representan a la medicina galénica, a la química y a la hipocrática o escéptica.

dad y del pragmatismo frente a la lucubración teórica: «Por lo que debo aconsejar a vuestra merced que, si leyó los principales sistemas, no lea las porfías de sus comentadores. Estudie en sí mismo, que en el entendimiento humano está sembrada la semilla de todas las ciencias...» (pág. 138). Si pudiera volver a la vida, añade, «... solo la gastara en la práctica útil de la cabecera, y borrara impertinentes filosofías». Mas es consciente de la multitud de factores que conspiran contra el logro de una medicina rigurosa científicamente y humanamente eficaz. No tiene reproches científicos que hacer Hipócrates contra el Piscator, por lo que solo se queja del «desprecio con que trata y carga la mano» contra los pobres médicos y le afea su estilo, en especial la nociva mezcla de ingeniosidades y burlas con las materias serias.

Torres expresa exultante su admiración por el maestro (es decir, por su propia concepción de la medicina), y responde a la petición de este de que le cuente «el estado y pasos con que caminan hoy mis sucesores». El cumplido informe incluye el triste estado de la enseñanza académica de la disciplina, las novedades de moda y el desolador panorama de la práctica médica. Nuevas embestidas contra el vacuo formalismo escolástico y el perjuicio social que engendra: «A la juventud la crían en las universidades en las porfías *Si Dios puede hacer entes de razón*; *Si la Lógica es simple cualidad...* Considere vuestra merced qué tiene que ver el pulso con el... etcétera.» «Los años que profesan en las universidades, les dictan sus maestros cuatro materias... con un recetario o farmacopea al fin para guiñar el ojo al boticario... Y sin otro estudio que estas teóricas impertinentes pasan a las cortes, ciudades y villas, a amontonar muertos con licencia de los reyes y consentimiento de nuestras ignorancias» (pág. 151).

La distancia con que describe algunas de las novedades no obedecen solo a la hábil cortesía de halagar al maestro para desmentir cualquier atribución de militancia en el campo de los renovadores («Yo no quiero acusarlos; pero vuestra merced no los defienda tanto, que ellos, por su Arbeo [Harvey] y su Tomás Wilis y otros, han vendido a vuestra merced de suerte que, si no es el que le conozca, nadie le comprará» (pág. 149); reflejan una vez más el desconcierto de un empírico sincero

53

que ha comprobado que los viejos libros aprendidos son papel mojado, pero que desconfía aún de la validez de las propuestas renovadoras. Tiene además contra los modernos el resquemor de que el rechazo de la astrología englobe indiferenciadamente las adherencias espurias y las evidencias experimentales. Torres se apoya en Hipócrates para lamentar que se incumpla la necesidad de tener en cuenta las influencias ambientales[68], el ciclo de las estaciones, las horas adecuadas de administrar los medicamentos en una atención individualizada, pues cada enfermo, como había recordado el maestro, es un caso diferente, y no se puede intentar «que se calce con una horma todo un pueblo».

Las críticas más duras y abundantes se refieren a la práctica real de la medicina: la ostentación y avaricia de los médicos, el descontrol legal y la pasividad de las autoridades ante la proliferación de seudomédicos que, sin conocimientos ni acreditación, explotan a las gentes. Y acepta, finalmente, la acusación sobre la frivolidad de su estilo, que echa a perder «lo sólido de sus pensamientos» («Y es pecaminoso empleo dictar juguetes para el siglo cuando puede adelantar verdades a la posteridad»), pero la disculpa es contundente: si no lo hiciera así, nadie lo leería. Otra vez de regreso a la lucidez: él no es un científico, sino un escritor que lucha por vivir de su pluma.

Lo cual no anula la verdad de su permanente inclinación por los estudios médicos, con preferencia incluso respecto a las disciplinas oficiales de su cátedra. Inclinación que está también testimoniada en el texto: «He reparado —dijo mi canarada— que después que dejaste aquellas travesuras, que son enemigas mortales de la quietud de las ciencias, aunque tu principal profesión a que te arrastró el mercurio fue la matemática, la lección principal ha sido en los libros médicos» (pág. 144). Su afición se documenta ya, en realidad, en esa época de las «travesuras», si es verídico el relato que hizo en *Vida* de la aventura portuguesa; y luego en la precipitada ob-

---

[68] El estudio de las influencias ambientales correspondía a la astrología, «que no siempre era una ciencia oculta, sino una disciplina que consideraba todas las circunstancias concretas, temporales y espaciales, antes de diagnosticar enfermedades o recetar remedios» (Sánchez-Blanco [1999], pág. 34).

tención del grado de bachiller en Ávila, en la breve reanudación de sus estudios en el hospital de Madrid[69], en la publicación de opúsculos de divulgación de su particular «medicina popular»[70], en su mayor acercamiento a la medicina moderna, documentado en el ya mencionado escrutinio de la biblioteca del Ermitaño... Proceso que culmina con la integración de la ciencia médica en el ideal vital armónico expresado en su tratado más ambicioso *(Vida natural y católica),* que se prolonga ejemplificadoramente en el *sueño* que cierra el ciclo onírico del autor: *Los desahuciados del mundo y de la gloria* (1736-1737), amplia exhibición final de conocimientos médico-farmacológicos[71]. Aunque en el Trozo quinto de la *Vida* todavía le veremos actuar de paciente y ejercer al mismo tiempo como minucioso médico de sí mismo.

La enemistad de Torres con el mundo de la justicia estaba anclada en su memoria al recuerdo de pasados agravios: la injusta prisión sufrida, siendo estudiante, con ocasión de la «ruidosa pretensión de la alternativa de las cátedras»: «A mí, por más desvalido, por más mozo o por más inquieto, me tocaron (además de otros disgustos) seis meses de prisión, padeciendo, por el antojo de un juez mal informado, los primeros dos meses tristísimamente en la cárcel...» *(Vida,* 137). Y el testimonio de la situación que ha generado nuevos motivos de disgusto y desasosiego aflora al texto de nuevo, esta vez con total transparencia, en el diálogo con su amigo: «Y tú eres testigo que, violentado a una justa defensa de mis sudores, puse a los pies de la nunca bien llorada Majestad de Luis Primero (que goza

---

[69] Este contacto más directo con la medicina real, y no solo teórica, le condujo a la decisión de renunciar a su práctica. Años después escribió en *Los desahuciados:* «... yo sabía tanta medicina como muchos que la venden, y esta creo que no basta para vivir con la gracia de Dios» (pág. 234 de mi edición de la obra [1979]).

[70] *Cartilla astrológica, Lo más precioso y preciso de las medicinas* (1727); *El doctor a pie, y medicina de mano en mano* (1730), con nueva versión al año siguiente; *Médico para el bolsillo, doctor a pie, Hipócrates chiquito...* (1937).

[71] Según el historiador de la Medicina Luis Sánchez Granjel [1952: 17], sea cual sea el juicio que las opiniones médicas de Torres merezcan, no se le puede negar «la profundidad de sus conocimientos acerca de las diferentes doctrinas médicas que en aquella época eran motivo de constantes polémicas».

de Dios) un memorial escrito por mí que, por andar impreso y haberlo leído tú, no te canso en referirte su contenido. Pues solo suplicaba en él que, en atención a mis trabajos, me dejasen comer de mis tareas; que la contraria pretensión pudo honestarse con una santa capa en que se rebozaba la ajena codicia. Y, conseguido por entonces, hoy me hallo precisado a la misma defensa, pero con el ánimo más flojo...» (págs. 162-163). Nos enteramos también de que el embozado agresor que satirizó su famoso Almanaque para 1725 —que ha suscitado la ira de Papiniano— era en realidad un letrado[72].

El intercambio epistolar entre el jurisconsulto y el Piscator concentra la mayor dosis de hostilidad de toda la serie, lo que no propicia mayores expansiones doctrinales. La plausible defensa inicial, por parte de Papiniano, de la necesidad de la ley, que «es para todos y se debe estudiar de modo que la entiendan todos», es respondida por Torres con la diferencia que hay de la teoría a la práctica, reino del confusionismo interesado y corrupto. Papiniano deriva en su alegato hacia la sacralización de la ley, independientemente de que sea o no justa, y le niega a Torres el derecho a opinar ni sobre la ley ni sobre quienes la aplican. La respuesta esboza una especie de precoz defensa de «los derechos del ciudadano»: «Díceme vuestra merced que quién me mete a mí, no siendo profesor, en reprehender los letrados. Yo, señor mío, me meto [...] Mi profesión es la política; esta es ciencia de todos...» (pág. 166).

No deja de ser curioso que uno de los defectos imputados por Torres a la jurisprudencia es su carácter acientífico, que deja indefenso al individuo, forzándolo a preferir la resignación ante el agravio a los perjuicios mayores que le esperan si recurre a la ley: «Toda esta quimera, desasosiego e inquietud tiene lo falible y conjeturable de su profesión, y el no haber vuestra merced dejado (como hicieron los matemáticos) convencibles demostraciones en sus teoremas y problemas» (pág. 165).

---

[72] Jerónimo Ruiz de Benecerta. El panfleto se titulaba *Prácticos avisos con que el Pronóstico de Salamanca de este año de 1725, instruido de los lectores, corresponde a su Padre y Autor el Bachiller Don Diego de Torres*, Madrid, Francisco Martínez Abad [1725]. Torres replicó de inmediato con *Desprecios prácticos...*, Madrid, Librería de Fernando Monge [1725].

No podía entonces saber Torres que le esperaban tropiezos más graves con la justicia —comprobado quedó que él no creía en la adivinación astrológica—. Por mi parte —y en aras del rigor científico que Torres reclamaba—, no debo ocultar un último detalle: los temores iniciales del Piscator («Éste es un asunto delicado y no quiero hablar palabra, aunque estamos solos...») se corresponden con la llamada final de su amigo a la prudencia, con palabras que habrían de resultar de un asombroso rigor profético: «Mira lo que haces. Que por lo mismo que conoces su poder, su mando y su palo, te armarán una zancadilla y te abultarán un pecadillo venial, de suerte que lo pagues a lo menos en un destierro» (pág. 168).

La esfera moral. El desahogo vitalista de Sacudimiento

De acuerdo con los seculares cánones cosmológicos, la última esfera lleva al ser a la contemplación de la trascendencia y le propone su rendición, para entregarse a la gloriosa anulación en lo absoluto. Anonadante propuesta para la «cosmología de la felicidad» de aquel Piscator, que retrocederá al fin para regresar al terreno familiar de la historia. Es decir, de la vida.

No se atrevió el autor, como en los demás casos, a poner rostro y nombre a su último interlocutor epistolar, y arrostrar con ello la acusación de irreverencia impía. La voz del místico anónimo es portadora del discurso moral del poder: la desposesión de sí mismo («... todo es de Dios, y sólo es suya la loca vanidad de sus delirios»), el pecado de la soberbia (o autoafirmación del yo), el *contemptu mundi*, que iguala en su desprecio el conocimiento de la realidad («... está entregado del todo a la lección de libros vanos...») y su disfrute, proscribiendo la alegría de «... su desenfado y su inmodesta pluma». El personaje Torres mimetiza (¿parodia?) el estilo de la prédica y meditación ascético-moral, y en su efusión de arrepentimiento amaga una rendición incondicional, irónicamente relativizada de antemano por la incredulidad del amigo: «Muy místico estás... No duren en mí más los apetitos que la santidad en tu genio.»

La vuelta del emisario corrobora que el protagonista no ha superado el examen de conciencia realizado bajo amenaza de condena, y que esta no será levantada por una contrición de corazón insuficiente y tardía, aunque sí se verá interrumpida en su consumación por el despertar del durmiente. El regreso a la realidad —que de hecho nunca fue abandonada— confirma que tampoco había propósito de la enmienda, y su única y paradójica satisfacción de obra es atender la petición de sus amigos de que escriba el relato: «yo, que para escribir no he menester que me rueguen mucho, tomé la pluma por dar gusto a mis amigos y divertirme yo» (pág. 191). No podía, en efecto, dejar la escritura quien vivía de ella y en ella, como no puede un pájaro dimitir de sus alas: «Y así, amigo [se dirige ya al lector], conformarse, porque yo no puedo servirte en dejar la pluma; porque será cortarme los vuelos» (pág. 192).

La moral vitalista del autor[73] estallaría rotundamente un año después en el texto de *Sacudimiento de mentecatos*. Pero por medio está también *Cátedra de morir* (1726), un opúsculo que conecta temáticamente con la última carta de *Correo*, por su recreación divulgativa de los tópicos ascético-morales: una especie de *meditatio mortis* al uso de los «retiros» o «ejercicios espirituales». Aunque no sean interpretaciones incompatibles, no hay datos firmes para decidir si se trata de un mero aprovechamiento de otra parcela añadida a su vocación y a su negocio de divulgador universal, o un nuevo y ahora inequívoco brindis al tendido de la afición conservadora para borrar de su imagen cualquier atisbo de «anarquismo peligroso», o el reflejo de una verdadera y profunda crisis personal. Sí hay, en cambio, varias alusiones crípticas dispersas en varios textos. Ya en *Correo*, el protagonista afirma que nada le importará ya «si Dios me concede lo que días ha le pido» (pág. 186). «Por deshacerme de un poderoso cuidado, que aun hoy se burla de mis propósitos, señor don Juan, maestro y dueño mío, desnudé el ánimo de otros alegres estudios, abrigándole en el seno de la más funesta melancolía», escribe al dedicarle *Cátedra de morir* a su antiguo profesor Juan Gonzáles de Dios, e

---

[73] Para un análisis de este aspecto en *Vida*, véase Fernández Cifuentes [1991].

insiste en que la obra no es fruto del capricho o la temeridad, sino «para engañar mejor aquel cuidado (que comunicaré a vuestra merced de boca a boca)» (XIII, 129). Y en *Vida* (página 151), al concluir el relato de su etapa madrileña, la misteriosa alusión «Pasaron por mí este y otros sucesos (que es preciso callar)...», inicia el párrafo en que se refiere a la predicción de la muerte de Luis I, que termina así: «Unos quisieron hacer delincuente al pronóstico e infame y mal intencionado al autor [...]; y el que mejor discurría, dijo que la predicción se había alcanzado por arte del demonio.» «Serenóse la conjuración...», añade en las líneas siguientes, «... y salí de las uñas de los maldicientes sin el menor araño en un asunto tan triste, reverente y expuesto a una tropelía rigurosa» (pág. 152). Que el escritor se sintió amenazado es evidente. ¿Por una amenaza que podía ir, en sus consecuencias, más allá de la prohibición de escribir almanaques?

Sea porque se vio ya más seguro, sea por descarga incontenible de tensiones acumuladas[74], Torres se desahoga por completo en *Sacudimiento de mentecatos* hablando de sí mismo con una sinceridad restallante, ya despojada de cautelas. Este texto clave —por su espontaneidad e intensidad confesional— del autodiscurso torresiano quedó sepultado en un opúsculo motivado por circunstancias olvidables. En una de sus tertulias con amigos divertidos se había comentado meses antes la curiosa noticia publicada el 15 de mayo de 1725 por la *Gaceta de Madrid*: la Academia Real de las Ciencias de París concedía un premio anual, instituido por un legado del conde de Meslay, «a quien hiciere las dos mejores disertaciones, en cualquier lengua que sea, sobre los grados de longitud, y a quien descubra la razón por que un gallo que canta en Portu-

---

[74] Con el regreso de Felipe V los aires represores amainan, y el número de procesos inquisitoriales decrece rápidamente (los novadores Zapata y Peralta consiguieron finalmente eludir el cumplimiento de sus condenas). Incluso en 1726 se produjo un enfrentamiento público del poder político (en la persona del ministro José del Campillo y Cossío) con el tribunal de la Inquisición. Pero la pelea de la publicación de los almanaques llega a su tercer asalto; después de conseguir Torres su segunda victoria a finales de 1725, en febrero de 1726 el Hospital General consigue renovar el privilegio de exclusividad. Torres firma *Sacudimiento* precisamente el 28 de febrero de ese año.

gal a media noche, canta también a media noche si le traen a Francia, sin embargo de que hay una hora de diferencia»[75]. Cómo no caer en una tentación semejante. El Piscator redacta a vuela pluma *El gallo español*. Alguien (un tal Pedro de Frades), haciéndose pasar por el conde de Maurepas, miembro de la academia parisina, publica una *Censura*[76] que ridiculiza las «teorías» de Torres. La respuesta, que se demora varios meses, es *Sacudimiento de mentecatos*.

En una apoteosis de la autoafirmación, el autor se vacía en el texto: su retrato físico, sicológico y moral, junto a hechos de su vida que acreditan su victoria sobre la pobreza. La transparencia del texto no requiere aclaraciones, pero hemos de destacar el radical antitradicionalismo del sistema de valores que proclama, la moral vitalista, esencialmente mundana con la que gobierna su vida, reverso de la moral de renuncia a la que se le exigía regresar en la última carta de *Correo*. La afirmación del individualismo y de la indomable autonomía del ser brota en desordenados borbotones: la negación de fuerzas sobrehumanas que escapen al control del individuo, llámense duendes, o Fortuna, o incluso la misma muerte[77], pues ésta forma parte naturalmente de la vida; el amor a la libertad; la independencia social, concretada en la insumisión ante prejuicios alienantes como el de la honra, en el rechazo de ataduras institucionales (matrimonio incluido) y en el orgullo por un estoico sentido de autosuficiencia[78] que le permite resolver todas sus necesidades vitales sin depender de los demás; el amor al placer, la afirmación del disfrute de las «vanidades del mundo»... Se asoma también su satisfecha conciencia de escritor, que afirma el criterio de la originalidad personal frente al vano abuso de citas y «autoridades»; que conoce

---

[75] Véase Mercadier [1981: 64].

[76] Véanse las notas al texto.

[77] «Yo me la pinto menos horrible que me la dibujan los libros místicos y me la predican los púlpitos [...] Aguárdola como precisa, y para que no me asuste mientras vivo me copio yo a mi modo una muerte galana» (pág. 212).

[78] «El espíritu está hecho a resistencias, el cuerpo a desazones y el ánimo a tontos [...] Si viviera Epicteto, le buscara para darle mil abrazos, porque me dejó en su escuela el estudio de las seguridades» (pág. 215).

pero desdeña las reglas de la preceptiva[79]; que reconoce escribir por oficio («... yo trabajo para salir de la vida. El que quiera la posteridad, que la sude») y que sustituye el abstracto e inobjetivable criterio de calidad por el comprobable del éxito de público[80]. Mas lo que produce un asombro rayano en la incredulidad es que ni lo más intocable, los dogmas de fe, escapen a la relativización, al someterlos a la perspectiva de las plurales conciencias individuales: «¿Qué opinión no tiene mil apasionados? No hay cosa cierta. Y una que hay, que es nuestra Santa Fe, tampoco está libre de contrarios; pues siendo verdades infalibles las negó Lutero, las maltrató Calvino, no las confiesan los moros y las aborrecen los judíos. Y si he de hablar a vuestra merced con confianza, más me inclino a bailar, reír, pasear, ver la comedia y acompañar a mis amigos, que al recogimiento, la abstracción, retiro y estudio, que son las partes que hacen gloriosos los genios. Nunca soñé en docto, ni tengo traza de doctor, ni soy para ello; y si lo hubiera pensado, es muy posible que lo lograra, porque el hombre es todo lo que quiere ser» (pág. 217).

Tampoco sabía el escritor en ese momento que efectivamente tendría que lograrlo a marchas forzadas, para convertirse al año siguiente en el raro doctor ocupante de una de las llamadas «cátedras raras» —la de Matemáticas—, que esta vez su universidad sí le daría, seguramente por la influencia que, como compensación, ejerció la poderosa autoridad que lo invitó convincentemente a abandonar la corte en el otoño de

---

[79] «Las reglas de escribir bien (si son las que enseña la retórica), tengo vanidad de que las conozco; pero malos años para el puto que las usara: no está el siglo para estas delicadezas» (pág. 218). Son curiosas las observaciones metaliterarias con que a veces comenta su propio texto al tiempo que lo escribe: «(Vuestra merced me va leyendo con impaciencia, porque todo esto no es del caso. Y es así, pero aguante como yo y hágase a sufrido)» (pág. 219). «Vaya un paréntesis algo largo en que probaré lo inútil de estas respuestas [...]. Cerré el paréntesis. Él es largo y quiebra de medio a medio las leyes de la retórica, pero ¿qué se me da a mí?» (págs. 221-222).

[80] «Yo no sé cómo escribo; pero una de dos: o hay muchos necios en el mundo, o yo escribo bien, porque ninguno de cuantos viejos doctos, llenos de especies y tabaco, corren esta senda son tan bien admitidos como mis papeles» (pág. 218).

ese mismo año[81]. La inteligencia diplomática de quien representó al poder en aquella ocasión hizo incruenta su derrota. Pero Torres vivió su expulsión de Madrid como si lo hubieran desterrado del paraíso[82].

¿Torres un rezagado? ¿Torres un oscurantista escapado del Barroco para enturbiar las luces ilustradas que emitía el gran faro feijooniano? ¿Torres defensor de la mentalidad contrarreformista frente a los embates de los nuevos tiempos? Más que incurrir en un simple desvío, aceptar tales interpretaciones significaría traicionar en lo más hondo el sentido de una lucha por la vida que apenas conoció tregua. Por *mentalidad contrarreformista* no hemos de entender solamente el acatamiento de unos dogmas religiosos, sino la defensa de un completo sistema que articula la sociedad y encauza el comportamiento de los individuos. Porque, bajo el implacable control de la Iglesia, los dogmas religiosos legitimaban el poder absoluto, un orden social rígidamente jerarquizado y un código de valores morales centrados en la renuncia a la felicidad mundana en nombre de una extraterrena trascendencia. La vida de Torres es, por el contrario, la lucha por un proyecto heterodoxo de felicidad que solo podía cumplirse burlando los obstáculos que dicho sistema interponía en su camino. Un camino

---

[81] «Vino a esta sazón a ser presidente del Real Consejo de Castilla el ilustrísimo señor Herrera, obispo de Sigüenza. Y aficionado a la soltura de mis papeles y a lo extraño de mi estudio, o lastimado de mi ociosidad y de lo peligroso de mis esparcimientos, mandó que me llevasen a su casa; y en tono de premio, de cariño y ordenanza, me impuso el precepto de que me retirase a mi país a leer a las cátedras de la Universidad, y que volviese a tomar el honrado camino de los estudios» *(Vida,* 153).

[82] La nostalgia parece estar aún viva al iniciar en 1743 el Cuarto trozo de la *Vida:* «Cuando yo empezaba a estrenar las fortunas, los deleites, las abundancias, las monerías y los dulcísimos agasajos con que lisonjean a un mozo mal entretenido y bien engañado los juegos, las comedias, las mujeres, los bailes, los jardines y otros espectáculos apetecidos; y cuando ya gozaba de los antojos del dinero, de las bondades de la salud y de las ligerezas de la libertad, poseyendo todos los ídolos de mis inclinaciones sin el menor susto, estorbo ni moderación, ... salí de la corte para entretejerme segunda vez en la nebulosa piara de los escolares, adonde solo se trata del retiro, el encogimiento, la esclavitud, la porquería, la pobreza y otros melancólicos desaseos, que son ayudantes conducentes a la pretensión y la codicia de los honores y las rentas» *(Vida,* 155).

que bordeó constantemente los límites de aquel, y seguramente traspasó con excesiva frecuencia la barrera de lo admi-
sible. Pese a que la prudencia apuntala el recorrido con vacilaciones, momentos de retirada estratégica, dudas conciliado-
ras y aun contradicciones[83] (Don Diego no era un luchador
mesiánico o suicida, sino un simple aspirante a la felicidad),
su travesía quedó sembrada de derrotas[84]. Nunca definitivas,
es verdad: aun quebrantado además por la vejez y la enfermedad, se nos presenta en el tramo final de su autobiografía «des-
tilando vida y más vida, con gusto y con cachaza» *(Vida,* 265).

No solo empujaron hacia la modernidad los pocos genios
que renovaron la ciencia y la filosofía, sino quienes anticipa-
ron ante la sociedad, encarnándolos en su propia vida, rasgos
sustanciales de la nueva mentalidad. Diego de Torres Villarroel fue un ser consciente de la pura individualidad, de que

---

[83] No solo en lo intelectual o científico, sino en lo político: no se privó de
satirizar a la nobleza, ni de denunciar la injusticia de la desigualdad de nacimiento y el origen perverso del poder y la riqueza. Pero cultivó asiduamente
el favor de los nobles y poderosos, en los que habitualmente encontró ampa-
ro frente a sus enemigos más directos del claustro universitario. Antes de sacar
conclusiones apresuradas, convendría no olvidar que en la nobleza encontraron temprano cobijo las corrientes progresistas de la época, en forma de un pa-
ternalismo cultural que no careció de resonancias «socializantes». Fue seguramente un intento de encontrar una nueva legitimización para su poder, pron-
tamente abandonado ante las primeras amenazas de que el proceso abierto
podía conducir a la pérdida de sus privilegios. En lo que a Torres atañe, sería
ilusorio buscar en su obra algo que pueda llamarse con propiedad «pensamiento político». Pero son muy ciertas las pruebas de su inconformismo, que
a veces adquiere acentos subversivos de abierta rebeldía. Como en el pasaje
que la Inquisición expurgó de *Vida natural y católica:* «Los príncipes se forma-
ron de los tiranos que hicieron esclavas las repúblicas; los capitanes, de aquellos
espíritus impíos y terribles que quemaron provincias y vertieron la sangre de
otros hombres; los reyes, de los que, con violencia escandalosa, tomaron pose-
sión de aquel suelo que Dios y la naturaleza habían repartido a cada racional.
Mantúvolos la codicia y la violencia en el tirano señorío, hasta que ellos propios
hicieron leyes, códigos y pandectas para hacer hereditarias las rapiñas.»

[84] Alguna vez se ha insinuado la presencia en el escritor de una «manía per-
secutoria» de ribetes patológicos. Pero es comprobable que la persecución fue
muy cierta: conoció tempranamente la prisión, siendo estudiante; se le prohibió reiteradamente publicar sus almanaques; buena parte del claustro universitario le hizo la vida imposible sistemáticamente; fue blanco constante de sátiras insultantes y libelos en los que resonaban los viejos prejuicios dogmáticos (loco, hereje, judío...); fue desterrado; fue condenado por la Inquisición...

la dignidad e igualdad esenciales de los humanos no deben limitarse al plano abstracto de la moral trascendente, sino traducirse en la realidad social; un ser que reclama el derecho del hombre normal a trazar su camino sin admitir las barreras levantadas por los prejuicios, y que no reconoce otra meta vital que el logro y disfrute de la plenitud de la propia existencia.

El ciclo onírico y la originalidad literaria de «Correo del otro mundo»

Además de por la *Vida*, la obra más leída y reconocida por la crítica[85], Torres ha quedado en la historia de nuestra literatura gracias al conjunto de sus *Sueños*, forma literaria con la que se sintió especialmente compenetrado. La reiteración del marco onírico dio lugar en su obra a una sólida y original construcción cíclica, tal vez sin parangón en nuestra historia literaria, con la obvia excepción de Quevedo[86], en quien había culmi-

---

[85] Su consideración como la primera autobiografía burguesa española y pieza original y precocísima en la configuración de la autobiografía moderna europea es convicción firme y definitivamente asentada ya en la crítica torresiana. En cambio, y lamentablemente, fuera del ámbito del hispanismo, el desconocimiento de Torres es casi universal entre los abundantísimos teorizadores e historiadores contemporáneos del género autobiográfico, que ha generado en las tres últimas décadas una copiosísima bibliografía.

[86] Sin embargo, ni siquiera menciona a Torres M.ª Rosa Lida, «La visión de trasmundo en las literaturas hispánicas» (apéndice al libro de R. H. Patch *El otro mundo en la literatura medieval*, México, FCE, 1956, págs. 371-449), ni tampoco Julian Palley, *The ambiguous mirror: Dreams in Spanish Literature*, Valencia, Albatros, 1983.

Además de las primeras ediciones, en los años que se irán indicando, en 1743 Torres publicó varios textos *(Visiones, Barca, Correo)*, agrupados bajo el título de *Sueños morales* (Salamanca, A. Villarroel). Finalmente, todos los textos del ciclo (con la excepción de *Montante cristiano y político*) se encuentran en la edición de *Obras* de Salamanca, 1752. Pueden leerse en ediciones modernas solventes *Barca de Aqueronte*, ed. de Guy Mercadier [1969]; *Visiones y visitas*, ed. de Russell P. Sebold [1966, reed. en «Col. Austral», 1992]; *Los desahuciados del mundo y de la gloria*, ed. de Manuel M.ª Pérez López [1979]. La única monografía es la de Emilio Martínez Mata [1990], que dedica especial atención al análisis de los procedimientos expresivos. Por mi parte, abordé una visión de conjunto de esta faceta del autor en mi artículo «Los sueños de Torres Villarroel o la ilusión racional» [1994], del que resumo aquí algunos aspectos.

nado una fecunda y remota tradición literaria, europea y española, a la que Torres se incorpora con luz propia. Una tradición[87] mantenida y enriquecida por precedentes tan ilustres como Cicerón, Virgilio, Luciano, Dante —que sembró de infiernos y visiones alegóricas el final de la Edad Media—, Erasmo, gran maestro del *somnium* humanístico del Renacimiento, bien representado en Vives, Maldonado, etc.; y, naturalmente, Quevedo, ineludible punto de referencia de quienes cultivaron el género en el XVII y el XVIII. En su desarrollo, esta corriente había ido acogiendo orientaciones o modalidades diversas, de las que resultan especialmente pertinentes la satírico-moral y la alegórico-doctrinal, con la variante del viaje alegórico-didáctico. Típicamente dieciochescos, pero bastante más tardíos, son los viajes imaginarios relacionados con la utopía[88].

Es verdad que nada surge de la nada y que en cierto modo hasta la originalidad se imita, en cuanto que resulta de la combinatoria de elementos preexistentes. Y es obvio que cuando Torres inició y aun completó lo sustancial de su obra, en el primer tercio del XVIII, el sistema de formas literarias procedente del siglo anterior constituía el ámbito nativo de su actividad literaria. En él dejó bien visible su huella original y renovadora. Frente a la visión derivada de la inercia de los tópicos, los *Sueños* del escritor salmantino no pueden ser superficialmente despachados críticamente como un fenómeno de mero continuismo mimético del modelo quevedesco. Nada tiene que ver con ese modelo, por de pronto, el texto que inaugura el ciclo. *Viaje fantástico* (1724, refundido en 1738 con el título de *Anatomía de todo lo visible e invisible*), donde el artificio onírico es vehículo expresivo de contenidos científicos, es ajeno a la índole satírico-moral del modelo quevedesco, y se desvía en importantes aspectos de la naturaleza alegórico-doctrinal de la corriente a la que por su temática esta-

---

[87] No cabe aquí, ni resultaría pertinente, una consideración demorada de la misma. Teresa Gómez Trueba *(El sueño literario en España*, Madrid, Cátedra, 1999) ha aunado valentía, ambición científica y competencia para ofrecer al lector la primera monografía que aborda el estudio del desarrollo del género en España desde sus orígenes hasta su extinción.

[88] Para este último aspecto, véanse Hafter [1975], Guinard [1977], Álvarez de Miranda [1981].

ría vinculado[89]. No fue en Quevedo donde Torres sintió por primera vez la atracción y vislumbró las posibilidades del marco onírico, sino leyendo el *Itinerarium exstaticum* del jesuita alemán Athanasius Kircher[90], fuente inmediata confesada por él mismo, aunque luego suprima esta referencia en la refundición de 1738. Como quedó anotado, Torres pretende ofrecer con su libro una versión divulgadora de los *compendia* o enciclopedias científicas, que fuera accesible a un público amplio por su dimensión reducida y su lenguaje claro y funcional, alejado del metalenguaje y la obsesión erudita del escolasticismo. En tales aspectos radicaría el posible interés de esta obra, cuya entidad literaria creativa no sobrepasa un estado sumamente embrionario: el componente narrativo aportado por el sueño tiene muy escaso desarrollo, y es mero pretexto para la exposición de las distintas materias, que determinan la estructura del libro. Hay que señalar, además, que entre Torres y Kircher existen importantes diferencias, resumibles en la total desalegorización del modelo y en la distinta mentalidad con que se enfoca el conocimiento[91].

---

[89] Un ilustre pero remoto precedente hispánico del género onírico como recipiente de saberes compendiados es *Visión deleitable de la filosofía y de las artes liberales* (¿1445?), de Alfonso de la Torre. Lógicamente, también el *somnium* humanístico renacentista fue utilizado en la divulgación de conocimientos científicos, como hicieron los médicos Lobera de Ávila y Bernardino Montaña. Véase Teresa Gómez Trueba [1999: 62-67 y 75-76].

[90] Sus dos tomos se publicaron en Roma en 1656 y 1657; el segundo fue ampliado en 1665 a los doce libros, en dos tomos, de *Mundus subterraneus*, con deslumbrantes ilustraciones que debieron de impresionar vivamente la imaginación de aquel improvisado «enciclopedista».

[91] En el sueño de Kircher, Teodidacto es transportado sobre las alas del ángel Cosmiel, enviado para mostrarle la magnificencia de Dios en su universo: el conocimiento científico es mera prolongación subsidiaria de la revelación divina. Torres, en cambio, penetra en el sueño envuelto en los terrenales vapores de una siesta pesada; y él mismo es el guía y maestro que conduce e ilustra a unos discípulos anhelantes de su sabiduría, que abarca todas las ciencias de la naturaleza. Kircher se acoge en su sueño a la tradición alegórico-religiosa, y sus variados saberes se integran en una mentalidad esencialmente barroca que subordina la ciencia a la fe y mezcla lenguaje científico y simbología metafísica y moral, demostraciones experimentales y fantasías mitológicas. Torres destruye todo alegorismo, exhibe su irrenunciable individualidad, y asoma por doquier una mueca de escéptico empirismo ante los contenidos escolásticos que acoge, como dominantes aún en todos los modelos a su alcance.

Puesto que la originalidad de *Correo*, el segundo de los *Sueños* torresianos, es el tema central de este apartado, baste señalar ahora, en este apretado repaso, el total alejamiento respecto al modelo quevedesco de este texto en que por primera vez el artificio onírico se pone por completo al servicio de un designio esencialmente autobiográfico, en una autoconfesión matizada y compleja, y el texto alcanza, por la compleja modalización narrativa, una sólida y sugestiva entidad novelesca.

Tras ensayar en *Montante cristiano y político* (1726) una ampliación de las posibilidades del artificio onírico aplicándolo a un nuevo género —los escritos polémicos[92]—, Torres se aproxima al esquema quevedesco en *Visiones y visitas*, para acogerse a él casi por completo en *La barca de Aqueronte*: medular intención satírico-moral, crítica de estamentos, profesiones y costumbres, estructura de yuxtaposición o alineación esquemática de situaciones y figuras, concentrado estilo expresionista de efectos desrealizadores... Con todo, no faltan rasgos profundamente originales.

Visiones y visitas (cuya primera parte se publica en 1727 y las dos restantes en 1728) tiene un obvio parentesco con *El mundo por de dentro* quevediano, junto a otras conexiones literarias habitualmente señaladas[93]. Es una vez más el protagonista

---

[92] Se trata de un opúsculo, no recogido en las *Obras* de 1752, con el que Torres quiere mediar pacificadoramente entre Feijoo y sus agresivos impugnadores. «Vive y deja vivir», viene a ser el lema: que cada uno se dedique a lo suyo en paz y libertad. Tras las numerosas polémicas autodefensivas en las que él mismo se había visto envuelto ese año, se percibe el propósito de desentenderse incluso de las sátiras y ataques que le afecten personalmente. Véase Martínez Mata [1990: 32-34].

[93] Es inevitable el recuerdo de *El diablo cojuelo*, de Vélez de Guevara (aunque la obra no se acoja a las convenciones estructurales del sueño), y de otros costumbristas del XVII: Liñán y Verdugo, Juan de Zabaleta, y en especial Francisco Santos, que ensayó repetidamente el modelo onírico. Mucho más discutible parece, en cambio, la relación estructural que Sebold señala con el tipo de visión mística. Entre Quevedo y Torres, según él, «la unión de sensibilidades e ideas se hace completa», y «Torres va concibiendo la forma de su obra cada vez más concretamente como símbolo de la experiencia 'iluminativa' producida por la unión platónica entre su espíritu y el de Quevedo» [1976: LX-LXXI]. La misma introducción al sueño, saturada como casi siempre de un fuerte fisiologismo desmitificador, no parece ser, precisamente, el preludio de un

—Torres— quien asume la función —habitualmente reservada en el modelo al personaje ultraterreno— de guía y maestro, que ahora conduce por los ambientes de la Corte al mismísimo Quevedo (con lo que incorpora a la propia creación el reconocimiento de su deuda literaria), en sucesivas *visitas* de similar diseño estructural[94]: en un lugar real e identificado de la ciudad se produce el encuentro con el personaje representativo cuya grotesca descripción da paso al comentario crítico de los dos observadores. Torres demuestra ya un pleno dominio de su técnica descriptiva caricaturesca, de deformación esperpéntica, que surge a borbotones al simultáneo impulso de su agudo instinto burlesco, su intención estética y su sentido crítico-moral, aunque hay distintas opiniones sobre el predominio de uno u otro elemento[95].

Pero incluso en estas obras las diferencias respecto a Quevedo y la tradición anterior son notables. Torres está tan aferrado a su mundo histórico personal que destruye cualquier posibilidad de interpretación alegórica o de abstracción dogmática doctrinal o moral. Esta subversión del planteamiento alegórico tradicional queda patente desde el comienzo en las introducciones justificativas del sueño, que siempre se produce en circunstancias marcadas por un intenso fisiologismo burlesco y desmitificador. Así, la realidad no es una mera apariencia, soporte de significados simbólicos que remiten a una verdad ideal que la trasciende. Es el centro inmanente de todo el interés, el ámbito que alberga la experiencia vital del

---

transporte místico: «... [el sueño] da un soplo a la luz de la razón; y me dejó el alma a buenas noches y a mí tan mortal, que sólo cuatro ronquidos, unos por la boca y otros por lo que no se puede tomar en boca, eran asqueroso informe de mi vitalidad» (*Visiones*, 16).

[94] Cfr. Martínez Mata [1990: 34-37].

[95] Para Paul Ilie [1968] la tensión expresiva predomina absolutamente sobre los valores morales, el componente estético pierde su rango instrumental y pasa a dar carácter y sentido a la obra. Frente a él, E. Martínez Mata considera que la descripción trasciende lo burlesco y Torres «proyecta su interpretación de la realidad en la imagen que de ella quiere dar» [1990: 148]. Muy próxima estaba y está mi propia opinión de que el artículo de Ilie, «muy sugerente en varios aspectos, considera aisladamente la obra, desconectada de los demás *Sueños* de Torres, el conjunto de los cuales creo que contradice dicha interpretación» (Pérez López, 1979: 23).

autor, materia exclusiva de sus escritos. Es cierto que ecos y aun jirones de la realidad coetánea se asoman a los sueños de Quevedo o Francisco Santos[96], pero sin parangón posible en cuanto a la intensidad y aun radicalidad con que este aspecto se manifiesta en las obras de Torres, donde su constante presencia como personaje central se convierte en rasgo diferenciador. Tal es el caso también de *Visiones,* donde esa presencia va adquiriendo progresivo espesor: tema importante de la segunda y tercera partes es la repercusión pública que había tenido la primera. El impulso de autodefensa inunda una vez más el texto de regueros autobiográficos: la consideración del pasado, incluido el repaso a la ascendencia familiar; la exhibición entre autoburlas y orgullo de sus obras y su éxito, etc. Añádase la valentía crítica a la que en el fondo nunca llegaron las abstracciones satírico-morales de Quevedo, y el distinto sentido que la crítica de ambos tiene desde la perspectiva de conservadurismo-rebeldía[97]. Sirva de ejemplo *La Barca de Aqueronte,* la obra que más de cerca sigue los modelos quevedescos *(El sueño del Juicio Final* y el *Sueño del infierno).* El libro, escrito en 1731, permaneció doce años sin ser publicado, para aparecer al fin amputado, sin los capítulos referentes a la universidad y a la nobleza. Como se indicó, pasajes semejantes de *Vida natural y católica* fueron expurgados tras la condena inquisitorial de 1743. Prueba de lo lejos que el autor había ido en la denuncia de la desigualdad entre los hombres, el origen injusto de la nobleza y la usurpación por unos pocos de los bienes comunes; e indicio también de que sus críticas no fueron recibidas en su tiempo como inocuas abstracciones propias de la literatura moral.

---

[96] Respecto a Quevedo, escribe Ignacio Arellano: «La galería de los condenados y de temas satíricos que conforman los *Sueños* proceden en parte, claro está, de la tradición satírica clásica, medieval y humanista, pero hay una adaptación a las circunstancias y personajes coetáneos del escritor, que reflejan las preocupaciones morales y las figuras obsesivas de las que se burla y a las que critica» («Introducción» a su edición de *Los sueños* de Quevedo, Madrid, Cátedra, 1991, pág. 24).

[97] Sobre la defensa quevediana del viejo orden estamental frente a los elementos (como el dinero) que amenazan con descomponerlo, véase F. W. Müller, «Alegoría y realismo en las obras de Quevedo», en G. Sobejano (ed.), *Don Francisco de Quevedo*, Madrid, Taurus, 1978, págs. 218-241.

Tras una nueva y curiosa muestra de la afición del autor al artificio literario del sueño, utilizado en la introducción de un breve opúsculo de divulgación médica *(Doctor a pie*, 1731), el ciclo se cierra con una obra sólida y ambiciosa: *Los desahuciados del mundo y de la gloria*[98], escrita ya a la vuelta del destierro (que, recuérdese, marca un decisivo punto de inflexión en la biografía y en la evolución intelectual del autor) y nuevamente alejada del modelo quevedesco. Por su denso contenido científico podría pensarse que Torres regresa al mundo de intereses e intenciones de *Viaje fantástico*, la obra inaugural del conjunto. Pero el nuevo texto presenta además una carga moral entonces inexistente, y una estructura mucho más cerrada y compleja. Aunque no faltarían argumentos para agrupar en trilogía *Los desahuciados* con *Visiones* y *Barca*, en realidad la obra mantiene una relación más profunda es con *Vida natural y católica* (1730), de la que viene a ser complemento ejemplificador. Allí había puesto el autor al alcance de los lectores la ciencia y la doctrina necesarias para mantener sano el cuerpo y salvar el alma; en *Los desahuciados* les pone ante los ojos el vivo escarmiento de unos seres que sufren en su cuerpo y condenan su alma por infringir ambas leyes, la natural y la católica. En compañía de un horrendo diablo, que paradójicamente funciona en el texto como chocante portavoz de la moral católica, el personaje Torres visita a una serie de enfermos —futuros condenados. Cada uno de ellos es un caso clínico para dar rienda suelta a su sabiduría médica, una historia humana para ser narrada, un ejemplo para la moralización. La hipertrofia de la erudición médica, que predomina sofocantemente sobre los demás elementos, rompe la buscada armonía estructural del conjunto y de cada unidad narrativa, y atenta contra sus valores específicamente literarios. Pero, desde la perspectiva de la producción global del au-

---

[98] La primera parte se publicó en Madrid en 1736; la segunda y tercera en Salamanca, al año siguiente, con los títulos de *Hospital de ambos sexos. Sala de hombres*, y *Sala de mujeres*. La relación con la obra de Jacinto Polo de Medina *Hospital de incurables y Viaje de este mundo y el otro* (1636), rudimentaria imitación del esquema quevedesco, no va más allá del título. Para un análisis detallado de este sueño me remito al estudio introductorio de mi edición del mismo [1979].

tor, que tanta ambición puso en esta obra, *Los desahuciados* se nos ofrece con pretensión de *summa* torresiana, encrucijada de formas literarias y contenidos ideológicos fundamentales, de temas y de estilos.

La modalidad narrativa de los *sueños* estaba destinada a eclipsarse prácticamente con el siglo[99], desplazada por nuevas formas novelescas emergentes. La nueva sensibilidad que a ellas conduce pugna ya con Torres por expresarse en el viejo molde, que se ensancha y renueva a su contacto. A impulsos de un *yo* omnipresente, lúcido y burlesco, luchador y escéptico, apegado a la realidad histórica que vive y a su propio ser conflictivo, el sentido tradicional del género se altera en lo profundo, para alcanzar en el caso del texto aquí editado una visible y sólida entidad novelesca, de resonancias sorprendentemente modernas.

Es hora de desarrollar y precisar la afirmación que abrió este estudio: que con *Correo del otro mundo* Torres se asoma por primera vez y simultáneamente a los horizontes de la autobiografía y la novela modernas, y que hubo de modificar modelos genéricos que la tradición literaria ponía a su alcance, para habilitarlos al servicio de su propio designio: la autoindagación y revelación literaria (lo que equivale a una autocreación) de su propio ser. Y no en su abstracta inmanencia espiritual, sino en su entera dimensión vital, que incluye la compleja y conflictiva relación con la realidad histórica que lo constituía.

La elección de moldes genéricos es una decisión trascendental para todo autor, pues condiciona su libertad imponiéndole cauces preestablecidos, «configuraciones estructurales bien determinadas, de las cuales solo podrá zafarse mediante un golpe de genio»[100]. En rigor, los géneros literarios, y

---

[99] Son ya muy escasos los textos decimonónicos (en la línea de los viajes imaginarios y utopías de la Ilustración dieciochesca) que Teresa Gómez Trueba [1999] puede acoger en el *corpus* textual considerado en su trabajo.

[100] F. Lázaro Carreter, «Sobre el género literario», en *Estudios de poética*, Madrid, Taurus, 1976, pág. 115. El lector interesado en ampliar esta cuestión teórica encontrará también útil y transparente la lectura de Claudio Guillén, *Entre lo uno y lo diverso. Introducción a la literatura comparada*, Barcelona, Crítica, 1985.

más sus variantes subgenéricas, no son recipientes vacíos y neutros, susceptibles de acoger cualquier contenido sin impregnarlo de su propia sustancia. Son modelos estructurales históricos configurados mediante un conjunto de arquetipos semióticos, constructivos, retóricos, reveladores de una forma de percibir la realidad, ordenarla y expresarla literariamente. Habitan no solo en el mundo del creador, sino también del lector, cuyas expectativas preorientan, de manera que forman parte del pacto comunicativo implícito que todo autor establece con sus lectores, y aun del código compartido que hace posible el proceso de comunicación artística. Adelantaré que el grado de previsibilidad que la presencia de un cúmulo de convenciones introduce —y es difícil la sorpresa en un subgénero tan estrechamente codificado como el sueño literario— es mínimo en el caso de *Correo*. Y que uno de los grandes atractivos de la obra es la especie de juego de prestidigitación o ilusionismo a que Torres se entrega en este aspecto: suscita expectativas que se complace en defraudar o desviar, amaga modalidades genéricas que escamotea, sustituye o mezcla con otras; y, en fin, ofrece a sus lectores un extraño pacto inseguro y cambiante, que más que a orientarlo parece destinado a promover su desconcierto. No es un juego intrascendente, pues incertidumbre y desconcierto son componentes esenciales del sentido final de la obra.

La autorreferencialidad radical del texto creado por Torres no tiene parangón posible en la tradición del sueño literario. Es verdad que uno de sus arquetipos estructurales es la narración en primera persona. Y que el narrador-espectador dueño de esa voz, si no es dotado de una personalidad textual independiente, tiende a identificarse con el autor, de quien puede tomar en raras ocasiones algún rasgo «real»[101]. Mas nada hay

---

[101] Por ejemplo, en Quevedo, la condición de poeta, o alguna referencia intertextual a obras del autor (I. Arellano, «Introducción» cit., pág. 41). Hasta donde alcanzo, el precedente más notable por la presencia de elementos autorreferenciales y su posible clave autojustificatoria es *Lo somni* (1399), de Bernat Metge. En el *corpus* textual considerado por T. Gómez Trueba (págs. 104-106) figura un sueño que incluye un resumen de la vida de su autor: *Sueño de Antonio Maldonado en carta al Rey Nuestro Señor* (Lima, 1646). No hay indicio alguno de que Torres los conociera y, sobre todo, no hay relación sustancial alguna con los textos mencionados.

con entidad suficiente que permita vincular intertextualmente *Correo* con ningún precedente conocido, en una relación de dependencia. No es de extrañar tal ausencia en el espacio de la literatura imaginaria o fantástica. El juego de ambigüedades y paradojas se inicia precisamente con la elección de un modelo genérico marcado por un grado extremo de ficcionalidad y un contenido habitual abundante en abstracciones conceptuales idealizadoras, para reflejar con él la imagen viva de una realidad pragmática.

La primera alteración decisiva del modelo tradicional es la ausencia de exordio o introducción al sueño[102]. Me refiero a la versión original, claro está, que es la que aquí se analiza. A partir de la segunda edición de Salamanca (1743), que pasa a las «Obras completas» (1752) y eclipsa la anterior, Torres regulariza el texto según los cánones del género, para agruparlo en el mismo volumen con *Visiones* y *Barca*. La obra se presenta ya como un sueño desde el principio, destruyendo buena parte de los efectos y valores que la ambigüedad narrativa aporta a la primera versión.

En esta, el «pacto narrativo» inicialmente esbozado no está marcado por rasgos de una variante genérica precisa, con lo que el lector no es empujado de antemano a recibir el texto desde las convenciones interpretativas del sueño literario. El «Discurso» introductorio inicia el relato primario que contiene el tiempo y el espacio que corresponden a la situación narrativa principal y está gobernado por un personaje-narrador, dueño del punto de vista y de la voz que se expresa en primera persona. Este personaje, aún sin nombre, se debate al

---

[102] Es pieza esencial de la estructura canónica, por sus funciones adscribe el texto al marco genérico del sueño literario, establece el espacio o escenario onírico que acogerá el desarrollo de los contenidos, introduce al guía que orientará al narrador en el descubrimiento de la verdad. Además, a través de la descripción de los antecedentes (lecturas o experiencias de la vigilia precedente, etc.) y aun del proceso fisiológico del sueño, aporta indicaciones sobre la naturaleza de este y su valor interpretativo o profético, según una tipología tradicionalizada, predominantemente de acuerdo con la versión de Macrobio en sus comentarios al *Sueño de Escipión* ciceroniano (véase sobre estos aspectos la obra citada de T. Gómez Trueba, págs. 172-206). En cambio, el exordio adquiere notable entidad en otros sueños de Torres *(Visiones, Barca, Desahuciados)*, con un componente paródico desmitificador ya señalado.

comienzo en la confusión y el temor provocado por la presencia en la escena de unas misteriosas cartas. La llegada de un nuevo personaje —el amigo— provoca la revelación retrospectiva del acontecimiento central de este sector básico del relato: la irrupción de un horrendo mensajero portador de unas cartas procedentes, según él, del otro mundo, y de un plazo perentorio para responderlas bajo amenaza de males no determinados. El impreciso espacio se concreta ya en un escenario familiar, doméstico: el cuarto donde vive el protagonista, en una casa —que también alberga al amigo— de Madrid. Y más adelante quedará fijado el tiempo de la historia: mayo de 1725. La duda no se plantea en este segmento del relato entre si lo que ocurre pertenece al mundo del sueño o de la vigilia —de lo que sí hay precedentes en la tradición del marco onírico—, sino entre si las cartas proceden realmente de ultratumba o del fingimiento de un bromista, «chasco y ociosa idea de algún perillán zumbón que quiere reírse a tu costa», según la reiterada opinión del amigo. Explicación racionalista que no altera el inicial pacto de verosimilitud o «ilusión de realidad», pero que abre nuevas expectativas de desdoblamiento narrativo o «ficción dentro de la ficción» que finalmente no quedarán confirmadas por la vía aquí apuntada, sino por otra inesperada.

El personaje del amigo, lejos de resultar meramente subsidiario, como en principio podría esperarse, resulta trascendental para el relato, por las funciones que desempeña. Él es el que da nombre al narrador en el texto y lo sitúa en un espacio y tiempo reales, compartidos por los lectores —«—Tú no eres aquel Torres que yo conocí en Salamanca —dijo mi huésped—. A ti te han trocado estos políticos de la corte de desgarrado en melindroso y espantadizo. ¿Dónde está aquella risa? ¿Aquel desenfado? ¿Aquella conformidad con que tratabas en otro tiempo (y no ha mucho) todas las cosas?» (pág. 112)[103]. Un tiempo que se hace vivo y adquiere profundidad históri-

---

[103] Y más adelante, tras la lectura de la carta del «muerto místico»: «—Torres, Torres, ¿qué es esto, estas palabras que te han hecho más ruido en el alma que las pasadas notas? ¿Por qué sus ecos te han mudado en pálido lo bermejo del rostro?» (pág. 185).

ca, pues el amigo ha sido testigo del pasado biográfico del personaje, que penetra en el texto, para ampliarse en otros momentos posteriores con el recuerdo de episodios, referencias a obras anteriores, etc.

Esta ceremonia bautismal altera profundamente la naturaleza del planteamiento narrativo, al fundirlo con elementos constitutivos de un nuevo «pacto» de naturaleza autobiográfica que apunta a la identidad de autor-narrador-personaje y, por tanto, a la naturaleza referencial del texto[104]. Con el desdoblamiento añadido de que el personaje firmará sus cartas con un nuevo nombre —el gran Piscator de Salamanca—, correspondiente a una imagen artificiosa, mítico-literaria, del autor; a una máscara folclórica elaborada por este para revelar-disfrazar ante sus lectores uno de los múltiples perfiles de su ser. He aquí ya presente la conciencia de la complejidad, que habría de ampliarse y adensarse años después en *Vida*. El ser auténtico que habita la conciencia del autor —que despierta en el lector la esperanza de asistir a su revelación— integra conflictivamente, con diversos grados de aceptación o rechazo, otros seres aparenciales que comparten con él su existencia histórica: el que conocen los amigos que le tratan, el Gran Piscator del vulgo, el malintencionadamente falseado por sus enemigos... Seres que no dejan de formar parte de la verdad, por parciales o deformados que resulten. El narrador ha de asumirlos a todos en el texto, y asumir también los textos anteriores del autor, los retazos no siempre coincidentes que fluyen de una vena autobiográfica recién abierta y que habrá de quedar perpetua, irrestañablemente abierta. Mas el lector no puede sino recibir con perplejidad e incertidumbre este inseguro pacto autobiográfico, que no solo carece de las garantías habituales (título, introducción...) y otros rasgos constitutivos (relato retrospectivo, etc.), sino que resulta descaradamente sospechoso, al irrumpir en un marco narrativo cuya naturaleza fantástica quedará finalmente desvelada.

La relación del amigo-testigo con el narrador vertebra estructuralmente todo el núcleo central del relato: las cartas, sis-

---

[104] Para un amplio desarrollo de las implicaciones teóricas de esta cuestión, véase Philippe Lejeune [1975].

temáticamente flanqueadas por los diálogos entre ambos[105], se sitúan en el centro, entre el planteamiento y el desenlace de la situación narrativa primaria. Y con dicho componente el texto se abre además a una nueva forma genérica, también de larga tradición clásica y cuyo cultivo, tan intenso en el clasicismo renacentista, no se había interrumpido[106]: el diálogo o coloquio, que además había convivido largamente con el sueño literario en la tradición de este. Por su especialización comunicativa al servicio de las ideas abstractas (lo doctrinal, lo alegórico, lo científico, lo satírico-moral), podría decirse que, como tal, es un género neutro en cuanto a ficcionalidad (admite sin violencia como coloquiantes a abstracciones alegóricas y actores humanos, figuras mitológicas y personajes históricos), y por ello puede servir de puente entre el grado máximo de ficcionalidad del sueño fantástico y la referencialidad consustancial —al menos en teoría— del género epistolar. Narrador y amigo leen, comentan y responden las cartas, se explayan sobre sus remitentes y las disciplinas científicas correspondientes, aplican su contenido a su propia realidad vital y biográfica y a la situación histórica que viven. Lo cual confiere al material epistolar una sustancia narrativa de la que por sí mismo carecería. El efecto literario más trascendente es la novelización de las cartas, que quedan así perfectamente integradas en el relato. Pero este además adquiere una inesperada amenidad y sorprendente viveza —inhabituales, estas sí, en la tradición genérica del diálogo—, derivada de la coexistencia estilística del registro culto, propio del género, con el coloquial. Reflejo inevitable de una de las grandes claves interpretativas de toda la obra y del entero ser de

---

[105] Solo en una ocasión el diálogo interrumpe la lectura de una carta (la de Sarrabal). Al predominio de ambas formas está ligado otro rasgo original de la obra. Dada la extrema concentración espacial (todo ocurre en el escenario único de la habitación del protagonista) y temporal, junto al uso intenso de la forma epistolar y de la técnica de la *escena* propia del diálogo, *Correo del otro mundo* es un raro ejemplo de novela no puramente dramatizada en la que el tiempo de la historia coincide de manera prácticamente exacta con el tiempo del discurso.

[106] Sin ir más lejos, el médico Martín Martínez se había acogido en *Medicina escéptica* (1722) a este género, utilizado también por varios contendientes en la polémica de los *novatores*.

Torres, híbrido vitalísimo de la cultura científica y la popular. El contrastante uso subversivo del lenguaje popular, como instrumento desmitificador de dogmas sustentados solo en la falsa autoridad disfrazada de gravedad formal, es un rasgo que impregna por doquier toda la obra del autor.

La aparición de una nueva forma genérica —la epistolar— añade complejidad al intrincado juego de contrastes relativizadores al que el autor se ha entregado. El narrador testimonia la conciencia del autor respecto a la novedad absoluta del hallazgo: «¿Tener conversación con los muertos por medio de la memoria? Esto es posible, y fructuosa plática para el último fin. Pero escribir cartas por estudiantes es cosa que no habrá sucedido a ninguno viviente, si no es a mí, que me suceden cosas que no están escritas» (pág. 109). Confieso por mi parte que no he podido encontrar ningún precedente de fusión del sueño literario y la novela epistolar[107].

Parecería que el uso de este nuevo paradigma formal estaría destinado a contrapesar la naturaleza intensamente ficticia del sueño fantástico con la poderosa ilusión de realidad que la carta es capaz de crear, gracias a la carga de referencialidad que le es consustancial; lo que resulta coherente con la dimensión autobiográfica vertida en el texto[108]. Pero Torres somete a esta forma a una manipulación que refuerza los relieves paradójicos de la mezcla. No es que la forma epistolar no pueda ponerse al servicio de la ficción: ahí está el subgénero específico de la novela epistolar para atestiguarlo. E incluso la modalidad pragmática de la relación epistolar está abierta a sutiles procesos de ficcionalidad interna, como ha estudiado

---

[107] Sí hay precedentes clásicos —y, más próximos, barrocos— del uso de la forma epistolar en la sátira y en la literatura jocosa. Tal es el caso de Quevedo, en verso (algunas jácaras) y prosa *(Cartas del Caballero de la Tenaza);* y también, por ejemplo, de Eugenio Gerardo Lobo en época de Torres. Pero solo desde una superficial concepción de la «fontanería» podrían vincularse causalmente textos de entidad, contexto, motivación y fines tan abismalmente diferentes.

[108] Recuérdese también la importante función desempeñada por la carta-coloquio o carta-relación en la génesis del Lazarillo, como demostraron, rivalizando en erudición y sagacidad, algunos valiosos y conocidos estudios (Lázaro Carreter, García de la Concha).

con nitidez Claudio Guillén[109], quien sin embargo observa que en la relación epistolar emisor y receptor comparten un entorno y unas circunstancias previas comunes, y que «la no-ficcionalidad es admitida desde un principio como premisa básica y condición verdadera. Esta condición, la que da por supuesta una realidad común como arranque de la corres-pondencia, es una *convención constituyente*»[110]. Torres quebran-ta este rasgo constitutivo del «pacto epistolar», que hasta las cartas ficticias de las novelas epistolares respetan, como requi-sito de verosimilitud. Y lo hace tan contundentemente, que el yo-narrador que recibe y responde a las cartas y sus corres-ponsales no solo no comparten una realidad común, sino ni siquiera una misma dimensión espacial y temporal. La con-vención referencial de indicar en las cartas el lugar y la fecha podrá ser explotada así humorísticamente: el Piscator escribe «De mi posada. Madrid, y mayo, 2 de 1725», etc.; sus interlo-cutores epistolares, «De la oscuridad de mi eterna noche», «De mi podridero, feria ninguna, y por consiguiente ni día, ni mes ni año, que por aquí solo se ferian eternidades». Juego que se extiende también a las fórmulas de tratamiento: «vues-tra mortandad», «vuestra defuntez», etc.

Obsérvese de camino que la interrelación de formas genéri-cas y su peculiar tratamiento produce la ruptura de otras cons-tantes estructurales del modelo del sueño literario[111]. No hay aquí *viaje* al más allá; es este el que viene hacia Torres fragmen-tado en las cartas. No hay descripción del *escenario alegórico*, porque no hay alegoría posible. El ultramundo está visto desde la vida, exclusivamente como negación de ésta, como escueto y plano escenario de oscuridad, huesos, polvo y tiempo aboli-

---

[109] «El pacto epistolar: las cartas como ficciones», *Revista de Occidente*, 197 (1997), págs. 76-98. Incluye el comentario a una cita de Pedro Salinas que re-sulta perfectamente aplicable a Torres y al texto que analizamos: «Componer una carta, dice en su espléndida "Defensa de la carta misiva" Pedro Salinas, "es cobrar conciencia de nosotros". Sí, ¿pero de cuál de nosotros? ¿El yo solicita-do o estimulado por quién? La pluralidad latente ¿no acecha en el escritor? ¿No es esto lo que se experimenta al escribir, la multiplicidad de la pretendi-da, de la exigida identidad del yo?» (pág. 83).

[110] Artículo citado, pág. 85. El subrayado es mío.

[111] Para el inventario y consideración de estas constantes, véase el Capítu-lo III del estudio citado de T. Gómez Trueba, págs. 167-253.

do. No es el deslumbrante ámbito definitivo de la ideal y verdadera realidad, donde la aparencial realidad empírica —esquemáticamente representada en un *desfile de personajes* también ausente en nuestro texto—, que transcurrió en el tiempo ilusorio de la historia, quedará juzgada y anulada al ser transcendida. Como no hay tampoco *guía* que oriente al narrador en el mundo de la verdad, puesto que esta resulta tan problemática en el más acá como en el más allá, cuyos habitantes están también necesitados de información y verdades. Todos los personajes alternan las funciones de orientadores y orientados, en una dialéctica que trasluce el laberinto inextricable en que se esconde la verdad inaccesible. Finalmente, tampoco tiene nada que ver —como se va comprobando y se confirmará definitivamente de inmediato— la compleja y cerrada estructura de *Correo* con los rudimentarios arquetipos de construcción lineal, yuxtapositiva, «en sarta», dominantes en la tradición del sueño.

La manipulación infractora de los modelos genéricos no es el azaroso resultado de un inexistente descontrol creativo del autor, sino el eficaz instrumento de su instinto seguro al servicio de sus fines. La intensa impregnación ficcional del paradigma epistolar —destruyendo su referencialidad nativa— convierte a los ficticios corresponsales en pantallas y ecos que devuelven la imagen y la voz del propio autor, única realidad empírica hacia la que todo confluye. Al cabo, la epifanía del ser de Torres, en múltiple revelación especular, constituye el verdadero acontecimiento del relato. Mercadier captó agudamente su estructura interior como un «sistema torrescéntrico», una rigurosa arquitectura circular articulada en múltiples puntos de vista que se cierran concéntricamente sobre el personaje que proyecta la imagen del autor[112]. Cuya representación textual es en realidad múltiple, como se comprueba en el desenlace, que a su vez es doble. El regreso del mensajero,

---

[112] Mercadier [1981: 205, y 1991: 34]. En concreto, las «miradas» que convergen sobre Torres son, de fuera a dentro, la del lector, la de los tres amigos a quienes cuenta el sueño, la del mensajero del más allá (al que Mercadier identifica, aunque entre prudentes interrogaciones, con Dios y al que nosotros hemos atribuido la función de portavoz del sistema de valores del poder), las miradas sucesivas de los cinco interlocutores, y la del personaje del amigo.

portador ahora de la sentencia condenatoria que el «poder» o el «sistema» emiten, parece que va a poner fin a la historia, según los planteamientos iniciales. Pero el despertar fuerza al lector a un súbito reajuste de todas las perspectivas. No sólo queda anulada la sentencia al regresar a los valores vitales individualistas que rigen para Torres en el mundo de la lucidez[113]; la nueva y ampliada «profundidad focal» convierte todo lo relatado en un desdoblamiento especular procedente de una nueva situación narrativa primaria solo ahora revelada: el narrador ha contado a los tres amigos que viven con él lo que ha soñado. Es decir: Torres-autor se transmuta textualmente en el Torres-personaje-narrador que a su vez se desdobla en el personaje que vive la fantasía onírica en la que se ve reflejado y juzgado en la imagen crítica de sí mismo que le devuelven los cinco corresponsales y en la sentencia del mensajero-juez que en un invisible trasfondo lo ha contemplado todo. Al despertar, el narrador primario cuenta a sus amigos el sueño que los lectores acabamos de conocer, y toma la decisión de escribir el relato que de hecho hemos leído.

El lector acompaña perplejo al autor en el intento de captarse en la caleidoscópica confusión de imágenes de sí mismo que ha organizado en su obra, la cual permite que «el crítico de hoy puede incluso sentirse tentado de ver esbozarse en ella los caminos que van a recorrer, del siglo XVIII al XX, los novelistas de la introspección moderna»[114]. He aquí, enlazados en el breve espacio de una línea, dos reinos de los que casi siempre ha sido desterrado Torres: el de la modernidad y el de la novela[115]. Abandonar el contexto histórico del autor y texto

---

[113] Es otro efecto del juego de desplazamientos. La «razón dogmática», vigente en el tiempo histórico, es desplazada al ámbito del sueño, y abolida al despertar. La fantasía se convierte así, paradójicamente, en inesperado instrumento crítico al servicio de la racionalidad.

[114] Mercadier [1981: 207]. El mismo autor [1991: 34] escribe: «La habitación, lugar cerrado donde se produce esta aventura espiritual, es en realidad un gabinete de espejos más complejo todavía que el que imaginará la Justine de Lawrence Durrell.»

[115] En su esperado libro *La novela del siglo XVIII* (Madrid, Júcar, 1991), Joaquín Álvarez Barrientos solo dedica a Torres los párrafos imprescindibles para justificar el no incluirlo entre los autores dignos de atención.

aquí analizados y abrirse a relaciones intertextuales proyectadas hacia el futuro queda fuera del enfoque de estas páginas. Pero en ellas habrá encontrado el lector sobrados argumentos como para no considerar disparatada, sino totalmente plausible, la anterior afirmación de Guy Mercadier, para quien el recuerdo de Rousseau resulta comprensiblemente recurrente. La estrategia narrativa de *Correo* le parece «muy comparable con la que informa *Rousseau juge de Jean Jacques*: esta obra es una auténtica ficción (*Le Français* es un personaje imaginario, los diálogos son pura invención), y sin embargo, a nadie se le ocurriría suprimirlos de la colección de los escritos autobiográficos del ginebrino» [1991: 35]. Dándole la vuelta al argumento, podemos afirmar que el trasfondo referencial y el contenido autobiográfico de *Correo del otro mundo* no justifica su exclusión del campo de la novela, dada su cerrada coherencia y riqueza ficcionales.

Los primeros apartados de este estudio permiten contemplar el ámbito pragmático que subyace en el texto, su «campo externo de referencias». Pero, aunque ambas dimensiones se iluminen recíprocamente, es en el «campo interno de referencias»[116] que el texto crea, y que lleva adherida la conciencia del autor, donde radican los significados profundos, los que nos permiten no solo interpretar la obra, sino reordenar y reinterpretar, dotándolos de sentido, los datos de la biografía y de la historia. Sólo a través del texto podemos acercarnos e intentar penetrar en el punto de vista del autor, en esa perspectiva última en la que se condensan la coherencia y unidad íntimas del relato y, más allá de las concretas realidades evocadas, su verdad esencial.

Una verdad, como hemos podido comprobar, para la que no existe espejo capaz de apresarla en una imagen nítida y plana, sino que, en su complejidad, se fragmenta en mil reflejos. El juego de distanciaciones relativizadoras y las irisaciones de la ambigüedad percibidas por doquier proceden, más allá del placer estético que puedan deparar, de un impulso de

---

[116] El lector encontrará una accesible síntesis y ponderada consideración de estos conceptos de Harsaw en José María Pozuelo Yvancos, *Poética de la ficción*, Madrid, Síntesis, 1993, págs. 147-150.

autenticidad. La autenticidad de asumir lo complejo de la realidad —tanto la realidad exterior como la que se esconde en el interior de la conciencia— y la dificultad de su conocimiento. La autenticidad de abrazar el haz y el envés, la apariencia y el oculto trasfondo, la multiplicidad contradictoria de que se teje cada vida y todas entre sí, rechazando la simplificación mentirosa que imponen las convenciones, la mutilación hipócrita perpetrada por los prejuicios dogmáticos. Torres instala la ambigüedad en la perspectiva íntima que gobierna su texto, tal vez porque siente que es el único medio capaz de transmitir fielmente no solo la verdad de sus experiencias, sino, sobre todo, su experiencia de la verdad.

Esta edición

Tomo como base la primera edición de *Correo del otro mundo* (Salamanca, 1725 —véanse las referencias completas de las ediciones en la Bibliografía—. Me referiré a ella en las notas como *P)*. El lector tendrá así en primer plano la versión que el autor concibió originalmente y los lectores de su tiempo recibieron. La segunda versión aparece en la edición de *Sueños morales* de Salamanca, 1743 (en las notas, *S2),* y pasa con ligerísimas variantes a la edición de las *Obras* de Salamanca, 1752 *(S3),* la última que controló Torres. Las variantes de ambas ediciones se recogen en notas a pie de página (a excepción del nuevo prólogo a los lectores que, por su extensión, se reproduce en cursiva a continuación del de *P)*. No obstante, incorporo al texto algunas de estas variantes que, sin alterar el planteamiento original, corrigen construcciones sintácticas confusas u otras imperfecciones expresivas, fruto de la precipitación con que al parecer fue redactada la primera versión. Dejo constancia de cualquier intervención, por lo que el lector puede reconstruir fácilmente el texto de las tres ediciones. Tuve en cuenta también las ediciones de Madrid de 1791 (Imprenta de José Doblado) y 1794 (Imprenta de la Viuda de Ibarra), a efectos de comprobación de posibles erratas y cotejo de los abigarrados criterios de puntuación de las ediciones anteriores.

Modernizo la ortografía y la puntuación (esto último tiene evidentes responsabilidades interpretativas respecto al ritmo interior de la prosa torresiana e incluso, a veces, respecto al sentido), incluyendo la división de párrafos y la separación gráfica de los diálogos, perdidos en el amazacotamiento gráfico propio de las ediciones de la época. Rescatar de su sofocante prisión la frescura del texto compensa de la aridez de la tarea.

El texto de *Sacudimiento de mentecatos* es el de la primera edición de Madrid, 1726. Anoto las escasas variantes introducidas por la edición de *Obras* de Salamanca, 1752. Sigo los mismos criterios modernizadores que en el caso anterior.

Las notas —aparte de las dedicadas a las variantes textuales— buscan un equilibrio entre la brevedad y la suficiencia. Pretenden facilitar la tarea del lector sin mezquindad, pero sin agobios eruditos ni excesivas interferencias interpretativas.

Bibliografía

1. EDICIONES DE LOS TEXTOS

Correo de el otro mundo al Gran Piscator de Salamanca. Cartas respondidas a los muertos por el mismo Piscator D. Diego de Torres Villarroel, Salamanca, Eugenio García de Honorato y S. Miguel [1725].

Correo de el otro mundo al Gran Piscator..., Imp. en Salamanca, i por su original en Sevilla, en la imp. latina y castellana de Manuel Caballero [s.a.].

Correo de el otro mundo al Gran Piscator..., Sevilla, Diego López de Haro [s.a.].

Sacudimiento de Mentecatos, havidos y por haver..., Madrid, Gabriel del Barrio [1726].

Sueños morales, Imp. de la Santa Cruz por Antonio Villarroel y Torres, [1743].

Sueños morales, Salamanca, Imp. de Antonio Villagordo y Pedro Ortiz Gómez, 1752 (Tomo II de las *Obras*, o *Libros en que están reatados diferentes quadernos...*).

[Sacudimiento de mentecatos, tomo X de las mismas *Obras.]*

Correo de el otro mundo. Cartas de los muertos a los vivos, de Don... [s.l., s.i.], 1784.

Sueños morales, Madrid, González, 1786

Sueños morales, Madrid, Joseph Doblado, 1791.

Sueños morales, Madrid, Viuda de Ibarra, 1794 (Tomo II de las *Obras*, 2.ª edición).

[Sacudimiento de mentecatos, tomo X de las mismas *Obras.]*

Sueños morales, Madrid, Ramos, 1821.

Sueños morales, Barcelona, J. Roger, 1843.

Barca de Aqueronte. Correo del otro mundo. Sacudimiento de mentecatos..., nota preliminar de Federico C. Sainz de Robles, Madrid, Espasa-Calpe, 1968 [sigue el texto de la edic. de Barcelona, 1843].

2. ESTUDIOS SOBRE TORRES VILLARROEL

AGUILAR PIÑAL, Francisco, «Pronósticos de Torres Villarroel en México y Perú», en *Homenaje a Noël Salomon,* Barcelona, Universidad Autónoma, 1979, págs. 345-355.

ÁLVAREZ DE MIRANDA, Pedro, «Los duendes en casa de la condesa de los Arcos: un episodio de la *Vida* de Torres y su difusión oral previa», en *Revisión de Torres Villarroel,* Manuel María Pérez López y Emilio Martínez Mata (eds.) [1998], págs. 79-91.

BERENGUER CARISOMO, Arturo, *El doctor Diego de Torres Villarroel, o el pícaro universitario,* Buenos Aires, Esnaola, 1965.

CARO BAROJA, Julio, *Inquisición, brujería y criptojudaísmo,* Barcelona, Ariel, 1970, págs. 283-286 (sobre el almanaque *Las brujas del campo de Barahona).*

CARILLA, Emilio, «Un quevedista español: Torres Villarroel», en *Estudios de literatura española,* Rosario, Universidad Nacional del Litoral, 1958, págs. 179-191.

CORTINA ICETA, Juan Luis, «Una vieja e irreconciliable enemistad: Losada frente a Diego Torres Villarroel», en *El siglo XVIII en la preilustración salmantina. Vida y pensamiento de Luis Losada (1681-1748),* Madrid, CSIC, 1981, págs. 287-338.

CHICHARRO, Dámaso, Introducción, ed. y notas de *Vida,* Madrid, Cátedra, 1980.

DELGADO GÓMEZ, Ángel, «La autobiografía como juego publicitario: la *Vida* de Torres Villarroel», *Crisol,* IV (1986), págs. 57-88.

DUBUIS, Michel, «Fr. Martín Sarmiento, Torres Villarroel et quelques autres: rencontres ou influences?», *Les Langues Néo-Latines,* 183-184 (1968), págs. 67-87.

ENTRAMBASAGUAS, Joaquín de, «Un memorial autobiográfico de D. Diego de Torres Villarroel», *Boletín de la Real Academia Española,* XVIII (1931), págs. 391-417 (reprod. en *Estudios y ensayos de investigación y crítica,* Madrid, CSIC, 1973, págs. 435-459).

— «Puntualizando un dato en la biografía de Torres Villarroel», en *Miscelánea erudita,* Madrid, CSIC, 1957, págs. 35-57.

ESLAVA GALÁN, Juan, *Cinco tratados españoles de alquimia*, Madrid, Tecnos, 1987 (incluye *La suma medicina o piedra filosofal del ermitaño*).

ESPINA, Antonio, «Diego de Torres Villarroel. El Gran Piscator», en *Seis vidas españolas*, Madrid, Taurus, 1967, págs. 37-54.

ETTINGHAUSEN, Henry, «Torres Villarroel's Self-Portrait: The Mask behind the Mask», *Bulletin of Hispanic Studies*, LV (1978), páginas 321-328.

FERNÁNDEZ CIFUENTES, Luis, «Torres Villarroel: Seducción y escándalo en la biblioteca», *Confluencia*, 11 (1987), págs. 22-33.

— «Torres Villarroel: "tirando con gusto por la vida"», *Anthropos*, 125 (1991), págs. 24-31.

— «Historia literaria y placer de la lectura: la canonización de Torres Villarroel», *Siglo XX/20th Century*, 12, 1-2 (1994), págs. 87-111.

— «Enfermedad y autobiografía: sobre "la experiencia de la individualidad"», en *Revisión de Torres Villarroel*, Manuel María Pérez López y Emilio Martínez Mata (eds.) [1998], págs. 155-171.

GARCÍA BOIZA, Antonio, *D. Diego de Torres Villarroel, ensayo biográfico*, Madrid, Editora Nacional, 1949.

GÓMEZ GARCÍA, María Nieves, «El salmantino Diego de Torres Villarroel o las contradicciones de un catedrático del siglo XVIII», en *El siglo que llaman ilustrado. Homenaje a Francisco Aguilar Piñal*, coord. por J. Álvarez Barrientos y J. Checa Beltrán, Madrid, CSIC, 1996, págs. 477-485.

GONZÁLEZ VERDESCO, Renata, «El yo en la poesía de Diego de Torres Villarroel», en *Estudios dieciochistas en homenaje al profesor José Miguel Caso González*, I, Oviedo, Instituto Feijoo de Estudios del Siglo XVIII, 1995, págs. 413-420.

GRANJEL, Luis S., *La medicina y los médicos en las obras de Torres Villarroel*, Salamanca, Universidad, 1952 (reprod. en *Humanismo y medicina*, Salamanca, Universidad, 1968, págs. 245-313).

— «Dos tratados de hidrología de Torres Villarroel», en *Imprenta médica* (Lisboa), XVI (1952), págs. 99-114 (reprod. en *Capítulos de la medicina española*, Salamanca, Universidad, 1971, páginas 325-341).

GUINARD, Paul-Jacques, «Remarques sur *lindo* et *petimetre* chez Torres Villarroel», en *Les cultures ibériques en devenir: Essais publiés en hommage à la mémoire de Marcel Bataillon (1895-1977)*, París, Foundation Singer Polignac, 1979, págs. 217-224.

GUIRAL, J. «El olvidado Gran Piscator de Salamanca y su homenaje a Cervantes», *Temas* (Montevideo), 6 (1966), págs. 33-53.

GUMBRECHT, Hans Ulrich, «Vida, descendencia, nacimiento y aventuras del doctor Diego de Torres Villarroel», en *Der Spanische Roman von Mittelalter bis zur Gegenwart,* Düsseldorf, Schwan Bagel, 1986, págs. 145-170.

GUTIÉRREZ, Miguel, «D. Diego de Torres Villarroel», *Revista Contemporánea,* LX (1885), págs. 28-44 y 144-170.

HAFTER, Monroe T., «Two perspectives on self in spanish autobiography (1743-1845)», *Dieciocho,* 16, 1-2 (1993), págs. 77-93.

ILIE, Paul, «Grotesque portraits in Torres Villarroel», *Bulletin of Hispanic Studies,* XLV (1968), págs. 16-37.

— «Franklin and Villarroel: social conciousness in two autobiographies», *Eighteenth Century Studies,* VII (1974), págs. 321-342.

— «Dream cognition and the Spanish Enlightenment: Judging Torres Villarroel», *Modern Language Notes,* CI (1986), páginas 270-297. Trad., «El conocimiento a través de los sueños y la Ilustración española», en *Revisión de Torres Villarroel,* Manuel María Pérez López y Emilio Martínez Mata (eds.) [1998], páginas 37-60.

KLEINHAUS, Sabine, *Von der «novela picaresca» zur bürgerlichen Autobiographie: Studien zur «Vida» des Torres Villarroel,* Meisenheim Verlag, 1975.

LAMANO y BENEITE, José de, «El ascetismo de D. Diego de Torres Villarroel», *La Ciencia Tomista,* marzo-abril 1912, págs. 22-47; mayo-junio 1912, págs. 195-227.

LIRA URQUIETA, Pedro, «Diego de Torres Villarroel», en *Sobre Quevedo y otros clásicos,* Madrid, Ediciones Cultura Hispánica, 1958, págs. 87-100.

LOPE, Monique de, «Le "Villancico" chez Torres Villarroel», en *Fragments et Formes Brèves. Actes du IIe Colloque International,* Aix-en-Provence, Université de Provence, 1990, págs. 37-47.

LÓPEZ MOLINA, Luis, «Torres Villarroel, poeta gongorino», *Revista de Filología Española,* LIV (1971), págs. 123-143.

LÓPEZ SERRANO, Ricardo, *Los testamentos de Torres Villarroel,* Salamanca, Diputación, 1994.

LOUREIRO, Ángel G., «Autobiografía del otro (Rousseau, Torres Villarroel, Juan Goytisolo)», *Siglo XX / 20th Century,* IX, 1-2, (1991-1992), págs. 71-94.

— «La vida de Torres Villarroel, la oración fúnebre y la ley», en *Revisión de Torres Villarroel*, Manuel María Pérez López y Emilio Martínez Mata (eds.) [1998], págs. 173-191.

MALDONADO, Felipe C. R., «Quevedo-Torres Villarroel, un paralelismo divergente», *La Estafeta Literaria*, 464 (1971), páginas 4 y 7.

MARCOS RODRÍGUEZ, Florencio, «Las huellas de Torres Villarroel en el archivo universitario de Salamanca», en *Una figura salmantina, don Diego de Torres Villarroel*, Salamanca, Gráficas Europa, 1971, págs. 29-37.

MARICHAL, Juan, «Torres Villarroel: autobiografía burguesa al hispánico modo», *Papeles de Son Armadans*, XXXVI, 108 (mayo 1965), págs. 297-306 (reprod. en *Teoría e historia del ensayismo hispánico*, Madrid, Alianza Editorial, 1984, págs. 102-108.

MARTÍNEZ MATA, Emilio, «Un texto desconocido de Diego de Torres Villarroel: la *Carta del ermitaño*», *Archivum*, XXXVII-XXXVIII (1987-1988), págs. 89-100.

— «La sátira de la justicia en la obra de Diego de Torres Villarroel», *Anuario de Historia del Derecho Español*, LVIII (1989), páginas 751-762.

— Los «*Sueños*» de Diego de Torres Villarroel, Salamanca, Universidad, 1990.

— «La predicción de la muerte del rey Luis I en un almanaque de Diego de Torres Villarroel», *Bulletin Hispanique*, 92, 2 (1990), págs. 837-845.

— «Las predicciones de Diego de Torres Villarroel», en *Estudios dieciochistas en homenaje al profesor José Miguel Caso González*, II, Oviedo, Instituto Feijoo de Estudios del Siglo XVIII, 1995, páginas 75-83.

— (ed.), en colaboración con Manuel María Pérez López, *Revisión de Torres Villarroel*, Salamanca, Ediciones Universidad de Salamanca, 1998.

MATHIAS, Julio, *Torres Villarroel. Su vida, su obra, su tiempo*, Madrid, Publicaciones Españolas, 1971.

MCCLELLAND, Ivy L., *Diego de Torres Villarroel*, Boston, Twayne, 1976.

MENÉNDEZ MARTÍNEZ, Benjamín, »Los almanaques y Diego de Torres Villarroel«, *Archivum*, XLIV-XLV (1994-1995), páginas 497-525.

MERCADIER, Guy, «À propos du Quinto trozo de la *Vida de Torres Villarroel*», en *Mélanges offerts à Marcel Bataillon*, Burdeos, Féret et Fils, 1962, págs. 551-558.

— «¿Cuándo nació Diego de Torres Villarroel?», *Ínsula*, 197 (1963), pág. 14.

— «Joseph de Villarroel et Diego de Torres Villarroel: Parenté littéraire et parenté naturelle», en *Mélanges à la mémoire de Jean Sarrailh*, II, París, CRIEH, 1966, págs. 147-159.

— Introducción, edición crítica y notas de *La barca de Aqueronte*, París, CRIEH, 1969.

— Introducción, edición y notas de *Vida*, Madrid, Castalia, 1972.

— «Diego de Torres Villarroel, animateur d'une joute poétique. Présentation d'un autographe inédit», en *Hommage à André Joucla-Ruau*, Aix-en-Provence, Université de Provence, 1974, págs. 138-145.

— «"Narcisse romancier" a l'espagnole, *El correo del otro mundo* (1725) de Torres Villarroel», *Cahiers d'Études Romances*, 2 (1976), págs. 29-43.

— «"Je suis Sénèque": Lecture d'une epître de Diego de Torres Villarroel», en *Sujet et sujet parlant dans le texte (Textes hispaniques)*, Toulouse, Université de Toulouse-Le Mirail, 1977, páginas 103-124.

— «D. Diego de Torres Villarroel aux prises avec l'Inquisition (1743)», en *Mélanges à la memoire d'André Joucla-Ruau*, Aix-en-Provence, Université de Provence, 1978, I, págs. 315-324.

— Edición de *Textos autobiográficos de Diego de Torres Villarroel*, Oviedo, Cátedra Feijoo, 1978.

— «La paraliteratura española en el siglo XVIII: el almanaque», en *Hommage des hispanistes français à N. Salomon*, Barcelona, Laya, 1979, págs. 599-605.

— *Diego de Torres Villarroel. Masques et miroirs*, París, Éditions Hispaniques, 1981.

— «El destierro de Diego de Torres Villarroel en Portugal: dos memoriales inéditos», en *Actas del IV Congreso Internacional de Hispanistas* (1971), II, Salamanca, Universidad, 1982, págs. 269-275.

— «Diego de Torres Villarroel (1694-1770): une autobiographie permanente», en *Individualisme et autobiographie en Occident*, Bruselas, Universidad, 1983, págs. 127-141.

— «Personas y personajes en el teatro de circunstancia de Torres Villarroel», en *Coloquio internacional sobre el teatro español del si-*

glo XVIII (Bolonia, 1985), Abano Terme, Piovan Editore, 1988, págs. 289-302.

— «Littérature populaire et traces d'utopie au XVIIIe siècle: le cas de Torres Villarroel et les almanachs», en *Las utopías en el mundo hispánico,* Madrid, Casa de Velázquez, Universidad Complutense, 1990, págs. 95-107.

— «Une forme brève peut en porter bien d'autres: L'Almanach en Espagne au XVIIIe siècle», en *Fragments et Formes Brèves. Actes du IIe Colloque International,* Aix-en-Provence, Université de Provence, 1990, págs. 49-69.

— «Los albores de la autobiografía moderna: el *Correo del otro mundo* (1725) de Diego Torres Villarroel», *Anthropos,* 125 (1991), págs. 32-35.

— «Paseo por una galería de autorretratos», en *Revisión de Torres Villarroel,* Manuel María Pérez López y Emilio Martínez Mata (eds.) [1998], págs. 193-206.

NAVAJAS, Gonzalo, «Un discurso sin paradigma. La *Vida* de Torres Villarroel», en *Razón, tradición y modernidad: revisión de la Ilustración hispánica,* dirigido por Francisco La Rubia Prado y Jesús Torrecilla, Madrid, Tecnos, 1996, págs. 235-251.

NAVARRO GONZÁLEZ, Alberto, «Reglas para torear de don Diego de Torres Villarroel», *Estafeta Literaria,* 421 (1969), págs. 4-7.

— «Don Diego de Torres Villarroel, poeta catedrático de la Universidad de Salamanca», en *Una figura salmantina, don Diego de Torres Villarroel,* Salamanca, Gráficas Europa, 1971, págs. 15-28.

PÉREZ LÓPEZ, Manuel María, introducción, edición y notas de *Los desahuciados del mundo y de la gloria,* Madrid, Editora Nacional, 1979.

— Introducción, edición y notas de la *Vida,* Madrid, Espasa-Calpe, 1989.

— Introducción y edición de *Prosa narrativa* de Diego de Torres Villarroel, Madrid, CEGAL, 1994.

— «Los sueños de Torres Villarroel o la ilusión racional», *Anthropos,* 154-155 (1994), págs. 144-150.

— «Diego de Torres Villarroel», en Víctor García de la Concha (dir.), *Historia de la Literatura Española. Siglo XVIII,* Madrid, Espasa-Calpe, 1995, II, págs. 924-939.

— «Para una revisión de Torres Villarroel», en Manuel María Pérez López y Emilio Martínez Mata (eds.) [1998], págs. 13-35.

— y Emilio Martínez Mata (eds.), *Revisión de Torres Villarroel*, Salamanca, Ediciones Universidad de Salamanca, 1998.

— «Superstición popular y paraliteratura en el siglo XVIII. La ambigüedad burlesca del Gran Piscator de Salamanca», en *Monográfico en memoria de D. Antonio Llorente Maldonado, Salamanca, Revista de Estudios*, 43 (1999), 251-272.

PESET REIG, Mariano y José Luis, «Un buen negocio de Torres Villarroel», *Cuadernos Hispanoamericanos*, 279 (1973), págs. 514-536.

PHILIPPOT, Yannick, «El doctor don Diego de Torres Villarroel. Presentación de dos testamentos inéditos», *Salamanca. Revista provincial de estudios*, 20-21 (1986), págs. 125-146.

PICARD, Hans Rudolf, «Le rôle de "locura" et "razón" en tant que forces antithétiques dans la genèse d'une autobiographie moderne: la *Vida de Torres Villarroel*», en *Écrire sur soi en Espagne*, Aix-en-Provence, Université de Provence, 1988, págs. 105-115.

PINTO, Mario di, «Il diavolo a Madrid (Scienza e superstizione in Torres Villarroel)», *Filologia e Letteratura*, VIII (1962), págs. 198-224; recogido en *Cultura spagnola nel settecento*, Nápoles, Edizioni Scientifiche Italiane, 1964, págs. 77-120.

POPE, Randolph D., *La autobiografía española hasta Torres Villarroel*, Berna-Frankfurt, Lang, 1974.

RUDAT, Eva M. K., «Carnivalesque imagination an popular humor in Torres Villarroel's *Visiones y visitas*», *Michigan Romance Studies, XII* (1992), págs. 73-86.

SÁENZ DE SANTA MARÍA, Carmelo, «El Colegio de Nobles de Madrid y las visiones morales de Quevedo-Torres», *Letras de Deusto*, 20 (1980), págs. 179-189.

SAINZ DE ROBLES, Federico Carlos, *Torres Villarroel y el Madrid de su tiempo*, Madrid, Instituto de Estudios Madrileños, 1980.

SEBOLD, Russell P., «Torres Villarroel y las vanidades del mundo», *Archivum*, VII (1957), págs. 115-146.

— «Torres Villarroel, Quevedo y el Bosco», *Ínsula*, 159 (1960), páginas 3 y 14.

— «Mixtificación y escritura picarescas en la *Vida* de Torres Villarroel», *Ínsula*, 204 (1963), págs. 7 y 12.

— Introducción, edición y notas de *Visiones y visitas*, Madrid, Espasa-Calpe, 1966.

— «Sobre la anotación de las Visiones de Torres Villarroel», *Nueva Revista de Filología Hispánica*, XXI (1972), págs. 94-100.

— *Novela y autobiografía en la «Vida» de Torres Villarroel,* Barcelona, Ariel, 1975 (el estudio principal, incluido en *Revisión de Torres Villarroel,* Manuel María Pérez López y Emilio Martínez Mata (eds.) [1998], págs. 105-140).

— Introducción, edición y notas de la *Vida,* Madrid, Taurus, 1985.

SEGURA COVARSI, Enrique, «Ensayo crítico de la obra de Torres Villarroel», *Cuadernos de Literatura,* VIII (1950), págs. 125-164.

SOONS, Alan, «The Fiction of a Time of Dearth: *Historia de historias», Annali dell'Istituto Universitario Orientale* (Nápoles), XVIII (1976), págs. 145-150.

SOUBEYROUX, Jacques, «L'autobiographie en Espagne au XVIIIe siècle: Torres Villarroel», *Imprévue,* 1 (1983), págs. 133-138.

STEFANO, Giuseppe di, «Mito e realtà nell'autobiografia di Diego de Torres Villarroel», *Miscellanea di Studi Ispanici,* 10 (1965), páginas 175-202.

SUÁREZ-GALBÁN GUERRA, Eugenio, «La estructura de la *Vida* de Torres Villarroel», *Hispanófila,* 41 (1970), págs. 23-53.

— «Voluntad antinovelesca, intensidad autobiográfica de la *Vida* de Torres Villarroel», *La Torre,* XIX, 73 (1971), págs. 27-74.

— «El valor autobiográfico de la *Vida* de Torres Villarroel», *Revista de Estudios Hispánicos* (Puerto Rico), III, 1-2 (1973), págs. 43-54.

— «La *Vida* de Torres Villarroel y la autobiografia moderna (de Villarroel a Rousseau)», *Nueva Revista de Filología Hispánica,* XXII (1973), págs. 39-60.

— «Torres Villarroel y los yo empíricos de William James», *Romance Notes,* XV (1973-1974), págs. 274-277.

— *La «Vida» de Torres Villarroel: literatura antipicaresca, autobiografía burguesa,* Chapel Hill, University of North Carolina, 1975.

— «Hacia Ramón a través de Torres Villarroel», *Cuadernos Hispanoamericanos,* 410 (1984), págs. 63-78.

— «Sobre un supuesto cambio en la estructura de la *Vida* de Torres Villarroel», *Bulletin Hispanique,* 98, 2 (1996), págs. 419-427.

— «De la *Vida* de Torres a la de Lázaro de Tormes: burguesía y picaresca», en *Revisión de Torres Villarroel,* Manuel María Pérez López y Emilio Martínez Mata (eds.) [1998], págs. 141-154.

VALLÉS, José M., Introducción y edición de *Recitrarios astrológico y alquímico,* Madrid, Editora Nacional (contiene: *Los ciegos de Madrid, El ermitaño y Torres, La suma medicina o piedra filosofal del ermitaño).*

VARELA, Antonio, «Narration and theme in *Vida* of Diego de Torres Villarroel», *The American Hispanist,* IV (1979), págs. 5-7.

ZAVALA, Iris M., «Utopía y astrología en la literatura popular del setecientos: los almanaques de Torres Villarroel», *Nueva Revista de Filología Hispánica,* XXXIII (1984), págs. 196-212.

3. ESTUDIOS COMPLEMENTARIOS CITADOS

ABELLÁN, José L., *Historia crítica del pensamiento español,* III, Madrid, Espasa-Calpe, 1981.

AGUILAR PIÑAL, Francisco, *La prensa española en el siglo XVIII. Diarios, revistas y pronósticos,* Madrid, CSIC, 1978.

ÁLVAREZ BARRIENTOS, Joaquín, *La novela del siglo XVIII,* Madrid, Júcar, 1991.

ÁLVAREZ DE MIRANDA, Pedro, «Sobre utopías y viajes imaginarios en el siglo XVIII español», en *Homenaje a G. Torrente Ballester,* Salamanca, CAMP, 1981, págs. 351-382.

— *Palabras e ideas: el léxico de la Ilustración temprana en España (1680-1760),* Madrid, Real Academia Española, 1992.

ARELLANO, Ignacio, introducción y notas a *Los sueños* de Quevedo, Madrid, Cátedra, 1991.

BOLLÈME, Geneviève, *Les almanachs populaires aux XVIIᵉ et XVIIIᵉ siècles. Essai d'histoire sociale,* París, Mouton, 1969.

CAPEL, Horacio, «Organicismo, fuego interior y terremotos en la ciencia española del siglo XVIII», *Geo-Crítica,* 27-28 (1980), págs. 5-95.

CAPP, Bernard, *Astrology and the Popular Press. English Almanacs 1500-1800,* Londres, Faber, 1979.

CARO BAROJA, Julio, *Los judíos en la España moderna y contemporánea,* Madrid, Arión, 1961, tomo III.

CASTIGLIONI, Arturo, *Encantamiento y magia,* México, Fondo de Cultura Económica, 1772.

GÓMEZ DE LIAÑO, Ignacio (ed.), *Athanasius Kircher. Itinerario del éxtasis o las imágenes de un saber universal,* Madrid, Ediciones Siruela, 1986.

GÓMEZ TRUEBA, Teresa, *El sueño literario en España,* Madrid, Cátedra, 1999.

GUILLÉN, Claudio, *Entre lo uno y lo diverso. Introducción a la literatura comparada,* Barcelona, Crítica, 1985.

— «El pacto epistolar: las cartas como ficciones», *Revista de Occidente*, 197 (1997), págs. 76-98.

GUINARD, PAUL J., «Les utopies espagnoles au XVIIIe siècle», en *Recherches sur le roman historique en Europe, XVIIIe-XIXe siècles,* París, Les Belles Lettres, 1977.

HAFTER, Monroe, «Toward a History of Spanish Imaginery Voyages», *Eighteenth Century Studies,* VII (1975), págs. 265-282.

LÁZARO CARRETER, Fernando, «Sobre el género literario», en *Estudios de poética,* Madrid, Taurus, 1976, págs. 113-120.

LEJEUNE, Philippe, *Le pacte autobiographique,* París, Seuil, 1975.

LIDA, M.ª Rosa, «La visión de trasmundo en las literaturas hispánicas» (en R. H. Patch [1956], apéndice).

LOPEZ, François, *Juan Pablo Forner et la crise de la conscience espagnole au XVIIIe siècle,* Institut d'Études Ibériques, Burdeos, 1976.

LÓPEZ PIÑERO, José M., *La introducción de la ciencia moderna en España,* Barcelona, Ariel, 1969.

MARAVALL, José A., *Estudios de historia del pensamiento español (siglo XVIII),* Madrid, Mondadori, 1991.

MÜLLER, F. W., «Alegoría y realismo en las obras de Quevedo», en G. Sobejano (ed.), *Don Francisco de Quevedo,* Madrid, Taurus, 1978, págs. 218-241.

PALLEY, Julian, *The ambiguous mirror: Dreams in Spanish Literature,* Valencia, Albatros, 1983.

PATCH, R. H., *El otro mundo en la literatura medieval,* México, FCE, 1956.

POZUELO YVANCOS, José María, *Poética de la ficción,* Madrid, Síntesis, 1993.

QUIROZ MARTÍNEZ, Olga, *La introducción de la filosofía moderna en España,* México, 1949.

RICO, Francisco, *El pequeño mundo del hombre,* Madrid, Castalia, 1970 (reedición en Alianza Editorial, Madrid, 1986).

SÁNCHEZ-BLANCO, Francisco, *La mentalidad ilustrada,* Madrid, Taurus, 1999.

STIFFONI, G., «La cultura española entre el Barroco y la Ilustración», en *Historia de España* de R. Menéndez Pidal, XIX, vol. 2, Madrid, Espasa-Calpe, 1985.

ZAVALA, Iris M., *Clandestinidad y libertinaje erudito en los albores del siglo XVIII,* Barcelona, Ariel, 1978.

Correo del otro mundo

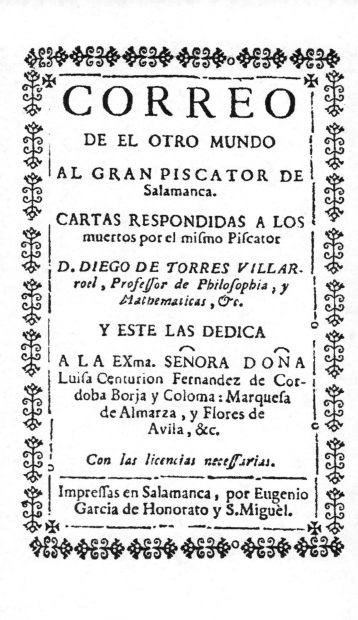

CORREO

DE EL OTRO MUNDO

AL GRAN PISCATOR DE Salamanca.

CARTAS RESPONDIDAS A LOS muertos por el mismo Piscator

D. DIEGO DE TORRES VILLAR-roel, Professor de Philosophia, y Mathematicas, &c.

Y ESTE LAS DEDICA

A LA EXma. SEÑORA DOÑA Luisa Centurion Fernandez de Cordoba Borja y Coloma : Marquesa de Almarza, y Flores de Avila, &c.

Con las licencias necessarias.

Impressas en Salamanca, por Eugenio Garcia de Honorato y S. Miguel.

A mis amigos los lectores

Yo, lector de mi alma, bastante sabía para ser racionero[1] (que es ciencia que se estudia a coros[2] y se sabe al primer camino). Yo podía ser prebendado[3], que tengo buena traza para engordar a palmos. O pudiera (como otros muchos) haberme acomodado para marido, que (a Dios gracias) no lo desmerecería; y ya que tengo como todos mi cruz, fuera con Dios la del matrimonio, que esta se lleva a medias. Pero soy un pobre donado del estado eclesiástico[4], sin más capellanía ni vínculo

---

[1] Cargo o beneficio eclesiástico catedralicio, dotado de renta, que seguía inmediatamente en rango al de los canónigos.

[2] *a coros:* Torres juega con el doble sentido ('fácilmente, como quien canta' —según hacen canónigos y racioneros en los oficios litúrgicos—, y también 'a montones, multitudinariamente') para ironizar sobre la escasa preparación requerida para los beneficios eclesiásticos y la multitud de quienes aspiran a ellos.

[3] Torres recibió órdenes menores en 1715 por presión paterna («Acometióle a mi padre a este tiempo la dichosa vocación de que yo fuese clérigo», escribe en *Vida*, 134), para poder solicitar una capellanía vacante de la parroquia salmantina de San Martín, a cuya mísera renta terminó renunciando, harto del pleito que le interpuso un litigante avaricioso: «Y por no lidiar con el susto y con el enojo de andar en los tribunales, siendo el susodicho de los procuradores y los escribanos, hice dejación gustosa de la renta» *(Vida*, 135). Treinta años tardaría Torres en dar los pasos que le separaban del sacerdocio (1745). Esta indecisión, que sus enemigos utilizaron como arma arrojadiza en sus sátiras (el jesuita Luis Losada difundió por Salamanca en 1739 un despiadado y denigratorio panfleto: *Memorial del Dr. D. Diego de Torres al Ilmo. Sr. Obispo de Salamanca, pidiendo el Orden de Evangelio)*, puede interpretarse, por el contrario —aceptando la explicación del propio Torres—, como gesto de honradez de un hombre que rechazó asumir ciertos compromisos mientras no se sintió dispuesto a cumplirlos.

[4] *donado:* el que sirve a una congregación religiosa sin hacer profesión.

que esta pensión de escribirte, que es una admirable prebenda para volverme loco. Y si, como te han dado que reír, los disparates de mi humor te causaran enojo, mira qué fuera de mí. Y si algún día (como lo temo) te cansan, me será preciso ver si me quieren para ermitaño. Aunque estoy tan de mal gesto con mi fortuna que, si lo pretendo, los pasos que me arrastran para intentarlo serán senda para no conseguirlo.

Yo no escribo para que aprendas, ni te aproveches, ni te hagas docto, pues ¿a mí qué se me da que tú seas estudiante o albañil? Allá te las hayas con tu inclinación, que fuera vanidad demasiada quererte enseñar al cabo de tus días y los míos, cuando en todas profesiones tienes admirables sujetos y libros que te instruyan con otro cuidado y otra paciencia. Yo escribo porque no tengo dinero ni dónde sacarlo, para vestirme yo y mantener a mis viejos padres, para recuperarles en parte con estos leves alivios los días de la vida que les quité con mis inobedientes travesuras. Y por este indispensable cuidado sufro conforme los dicterios del tonto, las melancolías del discreto, los misterios del vano, los reparos del crítico y las impertinencias de todos; que a estos golpes irreparables voy pronto[5] cuando publico mis trabajos en la plaza del mundo. (No puedo servir a vuestras mercedes[6], padres míos, con más amor; pues, por consolar la porfiada fortuna y enferma vejez en que el cielo y los días han puesto a vuestras mercedes, me arrojo yo y vendo a mis hijos.)

La idea de esta obrilla es pobre, pero no tan desgraciada que no te diviertan las ociosidades. Y aunque no logres más que arrimarla y hacerla un huequecito entre tus papeles, te contarán los aplicados entre los curiosos, y con estas cartas (como verás en su nota) tengo prevenidos los elementos prác

---

[5] *pronto:* no funciona aquí como adverbio, sino como adjetivo ('preparado, dispuesto').

[6] *vuestra(s) merced(es):* es la forma en que resolveré siempre la abreviatura *Vmd(s).* que aparece sistemáticamente en las tres ediciones (y también las infrecuentes *V.m.* y *V. md.).* Con todo, es preciso tener en cuenta que se abreviaba de igual modo *vuesa merced,* que seguramente era el tratamiento más habitual en el lenguaje hablado. Tal vacilación queda reflejada en el texto, en los casos en que el autor no puede emplear la abreviatura («vuestra defuntez», «vuestra osatura», «vuesas mortandades»).

ticos y teóricos de todas las facultades. Si me pagas los portes medianamente, me animaré a imprimirte los preceptos que guardo en mi estante. Y si no corre la estafeta me conformaré, pues por ahora no me atrevo a empeñarme para hacer la impresión, pues será chasco doble que yo te escriba y me dejes las cartas en el correo. Y si no cambiamos con igualdad tus cuartos por mis libros cesará nuestra amistad y correspondencia.

Pues por eso no he querido ser largo, porque mejor comprarás un pliego regular de cuatro cuartos que una certificación de veinte reales, conque por conveniencia tuya e interés mío metí la letra[7] y atropellé la cortesía. Dígolo para que no repares en los impertinentes tratamientos que usan hoy los corresponsales estadistas[8], que yo más gasto ingenuidades que ceremonias, y más cuando tengo confianza de tu amistad.

Anímate a comprar las *Cartas* para que yo pueda cumplirte lo que ofrezco, pues te aseguro (como honrado) que con sus noticias y las que te di en el *Viaje fantástico*[9] te harás estudiante, y podrás garlar sin miedo con los filósofos[10], astrólogos, médicos, letrados y místicos. Y aunque no sepas lo que el determinado profesor, para hacerte temido y respetable entre ellos y para que te escuchen sin molestia, te sobra doctrina, ayudándote tú con tus talentos.

---

[7] *meter:* «Vale asimismo estrechar o apretar las cosas, colocándolas de modo que en poco espacio quepan muchas más de las que regularmente se ponen. Y así se dice meter el pan en harina, meter letra, renglones, etc.» *(Aut.).*

[8] *estadistas:* políticos.

[9] Obra publicada el año anterior (1724) y más tarde ampliada y refundida en *Anatomía de todo lo visible y lo invisible* (1738), *Viaje fantástico* es el primer sueño —y la primera obra seria o pretenciosa, al margen de los almanaques— que Torres escribió. Inspirada en el *Itinerarium exstaticum* del jesuita alemán Athanasius Kircher, constituye un intento de aportar una versión divulgadora del modelo escolástico entonces aún vigente de los *compendia* o enciclopedias científicas, que fuera accesible a un público amplio por el uso del romance frente al latín, el abandono de las citas de autoridades y demás parafernalia erudita, y la adopción de un registro expresivo claro y funcional. Por la inercia del tópico, o por habilidad publicitaria, Torres adjudica ahora a su nueva obra un carácter didáctico que, afortunadamente, en modo alguno basta para caracterizarla, y que él mismo ha desmentido líneas atrás: «Yo no escribo para que aprendas, ni te aproveches, ni te hagas docto...».

[10] *garlar:* hablar mucho, sin parar y con poco juicio.

Disculpa por Dios lo mal limado del estilo en lo tosco de la invención. Porque en agarrando la fantasía idea por delante solo discurre en acabarla, sin detenerse en las prolijidades de pulirla. Y aunque no tiene disculpa el que da al público sus obras sin el provechoso castigo de las voces, como manda más en mí la necesidad que el gusto, por esta atropello los reparos (que yo sospecho notados antes de leídos). Demás, que me han dado a conocer los prolijos gestos[11] de los hombres que no tiene la retórica modo de escribir que generalmente les agrade. Y esta desconfianza me anima a correr sin miedo mi natural estilo, sin violentar la pluma a más reparos que el traje natural con que salieron de la fantasía, aconsejándome el cuidado su pobreza; que tal vez el desaliño de las voces es más crédito de las verdades.

Perdona también, lector mío, que te trate como a tía, porque todo te lo cuento. Y aun ahora tengo cortedad de contarte otro trabajito que me sucede[12], pero lo dejaré para otra ocasión en que esté mi ánimo menos medroso. Porque no es justo cansarte tan repetidas veces, cuando yo quiero tu amistad por muchos días. Dios te los dé con mil siglos de gracia.

Adiós, y pregunta por Fernando Monje, enfrente de las Gradas de San Felipe[13], que su casa es el Correo donde hallarás estas *Cartas*. Vale.

---

[11] *gestos:* parece errata por *gustos*. Ante la falta de seguridad, prefiero respetar el original.

[12] Seguramente alude a nuevas dificultades para continuar publicando sus almanaques, tras superar la anterior prohibición. En las cartas a Hipócrates y Papiniano se referirá a este problema más claramente.

[13] Tal era el nombre de la lonja del convento de agustinos de San Felipe el Real (derribado en el siglo XIX), bajo la que habían proliferado numerosas tiendas. Enfrente y en los alrededores abundaban las librerías, como —además de la mencionada— la de Juan de Moya, donde se venderían luego varias obras de Torres. Era un concurrido mentidero madrileño, sobre el que Torres había escrito con dureza precisamente en el Almanaque para 1725. Dirigiéndose en el prólogo a su propio «piscatorcillo», como a un hijo pequeño a quien se le aconseja para lo que le espera en el mundo, escribe: «La primera parada serán las Gradas de San Felipe, mansión de ociosos, centro de la mentira y plaza del vicio, donde comercia y vende sus embustes todo sopón, perdulario y gallofero» *(Obras* de Salamanca, 1752, IX, 4). En la bibliografía sobre el Madrid dieciochesco cabe destacar en nuestro caso el trabajo de Federico C. Sainz de Robles, *Torres Villarroel y el Madrid de su tiempo,* Madrid, Instituto de Estudios Madrileños, 1980.

A los lectores regañones[14]
o apacibles, curiosos o puercos, dulces
o amargos, píos, alazanes o tordillos[15],
vengan como quisieren,
que yo no distingo de colores

¡Tan maldito eres, que ni a la aplicación, ni al trabajo, ni al deseo de la común utilidad, ni al buen uso del tiempo que gastan regularmente todos los que escriben, has desatado una pequeña alabanza de tu funesta boca! Solo he oído sonar en tus labios desentonadas críticas, espurreando continuamente las indiscretas voces de no vale nada; es molesto; no cumple con el título de la obra; es común el argumento; mejor lo escribió fulano; el estilo es duro, blando, macizo, *y otras salvajadas hijas de tu rabia y de tu necedad. Mucha culpa tiene tu intención en estos desaires de los que te escriben, pero la más grave porción de delito ha estado en los escritores*

---

[14] A partir de *S2* el prólogo anterior de *P* es sustituido por el que aquí se reproduce en cursiva. Para entonces (1743) Torres ya había madurado y reiterado su personalísimo modelo de prólogo al lector, de cuya «particular extravagancia» se enorgulleció en ocasiones. Y a ese modelo (al que nos referimos en la Introducción, a propósito de los almanaques del Gran Piscator) responde perfectamente este texto.

[15] Varios adjetivos de la serie tienen significado equívoco: además de su acepción más frecuente, *curioso* significa, como es sabido, 'limpio, aseado'; *pío*, además de 'piadoso, benigno', se dice del color blanco con manchas de las caballerías, por lo que puede formar serie con las otras variantes del color equino: *alazán* (rojizo) y *tordillo* (blanco y negro).

tímidos, acoquinados, que te han hablado con temor y reverencia como si fueras algún Santo Padre. Y tú eres tan bergante que, en vez de agradecer estas sumisiones, solo te ha servido su humildad de coger más plumas con que añadir a las alas de tu insolencia.

Amigos escritores, estimémonos más y creamos que, para lograr los santos fines que nos mueven a tomar la pluma, nos son inútiles todos los lectores del mundo. La doctrina que dictamos, nosotros la entendemos mejor que los que vienen a leerla. Nuestro provecho consiste en su verdadera inteligencia y en la honrada ocupación de las horas, y para nuestro premio nos sobra ganar el tiempo y entender los sistemas que nos divierten y alicionan[16]. Echemos enhoramala a todo lector, sea el que fuere. ¿Qué nos importa que sean tontos? Si quieren saber y librarse de majaderos, sean humildes y más bien hablados. Dejémonos rogar, que más vale uno de nosotros que toda la casta de leyentes. ¿Qué supieran si no hubieran acudido a nuestras escrituras? No gastemos más caricias ni más agasajos con gente tan ingrata. Yo así juro que lo ejecutaré hasta que deje la carrera de la vida o la de escritor.

Cada día estás más rebelde y más pertinaz en tus vicios, y ya te dejo como cosa perdida. En la Barca de Aqueronte[17] te llevé a ver los tormentos que padecen los viciosos, y has echado a la risa aquellos castigos. En las Visitas con Don Francisco de Quevedo te arremangué los faldones de tus falsedades y te descubrí la caca de tus costumbres, y en vez de limpiarte de las cagalutas de tu conciencia y los berreones[18] de tu alma quedaste gritando blasfemias, espurreando pa-

---

[16] S2 y S3: alicionan. Es curioso que la forma aleccionar no se recoge en Aut., que sin embargo señala el carácter vulgar de lición y su derivado alicionar.

[17] Torres había escrito esta obra en 1731, pero no la publicó precisamente hasta 1743, al incluirla tras Visiones (1727-1728) y antes de Correo en el volumen de Sueños morales. Y la publicó prudentemente mutilada, sin los capítulos críticos dedicados a la universidad y a la nobleza: en el mismo año de 1743 la Inquisición expurgó de contenidos críticos semejantes su libro Vida natural y católica, que se había editado sin problemas en 1730. La única edición completa, hasta el momento, es la de Mercadier [1969], sobre un manuscrito autógrafo conservado en la Hispanic Society. Sobre otros aspectos de Barca y de Visiones —que el autor menciona a continuación—, textos con los que Torres se aproxima decididamente al modelo del sueño quevedesco, véase la Introducción.

[18] berreones: aquí, 'berridos'. Como salmantinismo recoge por primera vez la voz berreón ('gritón, chillón') en 1915 Lamano (El dialecto vulgar salmantino), quien la apoya precisamente en la autoridad de Torres, como hace también

peles[19] *y escupiendo chuzos[20] contra la sana intención con que te acon-*
sejé los desvíos de los sucios tropezones de esta edad. Ya no quiero que
me gruña más tu inmunda soberbia. Revuélcate bien en el asqueroso
cieno de tus disparates, que allá te lo dirán de tizonazos.

   Ahora se me ha puesto en la cabeza fingir que los muertos me escri-
ben y yo les respondo sobre algunos asuntos facultativos. Yo discurro
que esta inventiva correrá la misma fortuna que las pasadas. Sea en
hora buena, que ello parará cuando tú quisieres y a mí me diere la
gana. Si la quisieres leer, para ti será el provecho o e1 gusto, que a mí
ya me ha recreado al tiempo que la escribía; y si no, déjala, que no le
faltará adonde servir.

   Dios te guarde, y cree que cada día te temo menos, y a toda hora
me estoy burlando de ti. El Sueño *es el que se sigue; y yo, el que siem-*
pre; y lo dicho, dicho.

---

el *DH* de la Academia, en cuyo *DA* entra el término en 1925. Pero ninguno
(incluidos Martín Alonso y otros) registra este uso sustantivado del texto. Produce un efecto chocante que el sintagma «los berreones de tu alma» no con-
cierte semánticamente con el anterior («las cagalutas de tu conciencia»), al que
va sintácticamente coordinado, sino que anticipe el siguiente («quedaste gritando»). Pero queda flotando el posible juego dilógico con *berretes* ('manchas,
en especial las de restos de comida en torno a la boca', que por cierto el *DA*
no recoge) y su correspondiente aumentativo *berretones*.

[19] Quince años después todavía le escuece al autor el recuerdo de las refrie-
gas polémicas en que se vio envuelto hacia 1727 y el chaparrón de sátiras y libelos que cayó sobre él. Ya en los prólogos de la segunda y tercera parte de *Visiones* se queja burlescamente de los ataques recibidos y de la polémica recepción de las anteriores entregas de la obra que —cervantinamente, podríamos
decir— se convierte en tema de sí misma. «De un satírico que descubre lina-
jes y levanta testimonios» y «Libreros de viejo, encubridores de sátiras e impre-
sores a hurtadillas» son los significativos títulos de las Visiones sexta y séptima
de la segunda parte. Claro que en aquella ocasión llovía sobre mojado: Torres
estaba ya envuelto en la polémica con el médico Martín Martínez sobre la Astrología, y a la fiesta se autoinvitaron numerosos espontáneos.

[20] *escupiendo chuzos:* amenazando con arrogancia y excesivo enfado.

Discurso[21]

Perdonen los señores muertos, que esta vez han andado demasiadamente vivos. Si a sus mercedes se les hacen los momentos eternidades, acá en nuestra vida son sueños las duraciones. Y pues pasan con la brevedad que el humo nuestros días, tengan paciencia y déjenme morir, que en pillándome en sus podrideros pueden a tizón suelto castigarme, y entonces cada pobre que cure sus muertos. Sobrada melancolía nos dejaron cuando se fueron, sin que desde el otro mundo nos quieran poner más aguijones a la vida. Ningún finado viejo habló a vuestras mercedes a la vida, cuando la gozaban; pues déjenme vivir, y no se maten por lo que ya ni les va ni les viene.

¡Malísimo debo ser, cuando me persiguen los vivos y los muertos! No ha seis días que castigó mis ignorancias un vi-

[21] A partir de *S2* este epígrafe de *P* es sustituido por el siguiente: *SUEÑO E INTRODUCCIÓN TODO JUNTO, y murmúrelo quien quisiere.* Al agrupar *Correo* con *Visiones* y *Barca*, Torres regulariza aquí el texto, sometiéndolo más abiertamente a los arquetipos del género, en cuyo esquema estructural canónico la «Introducción al sueño» era pieza importante. El cambio no es irrelevante. Es cierto que Quevedo, sin ir más lejos, había introducido con el epígrafe «Discurso» algunos de sus *Sueños*. Pero con la explicitud que *S2* inaugura tiende a diluirse la ambigüedad sostenida de *P*, donde la duda respecto a si lo que ocurre y es narrado es realidad o sueño se mantiene hasta el final y, sobre todo, no afecta solo al Torres-personaje-narrador y a su interlocutor, sino que envuelve también al lector. Este asiste al relato, en la segunda versión, con una actitud inevitablemente más distanciada, como poseedor de una clave que los «actantes» (Don Diego me perdone) ignoran.

viente[22], y ahora me escriben los muertos quizás mayores desengaños[23]. ¿Qué oculto fuego tendrán estas cartas, cuando solo las cubiertas me chamuscan? Es imposible que sean hombres de buena vida estos muertos; pues, no ignorando que estaba resistiendo las furias de un vivo, se vienen a descomponer[24] el buen humor de mis ideas con sus melancólicas noticias. Con el vivo ya me atrevo, que tenemos iguales las tintas; pero con vuestras mercedes no, que habrán mojado en el fuego sus plumas[25].

Vuestras mercedes duerman, pues les llegó el tiempo de descansar, y no se quiebren las calaveras en escribir a quien no les ha de responder. Si tienen[26] alguna duda, allá tienen los hombres doctos con quien consultar, que acá solo tenemos cuatro vivos de mala muerte, tan enfermos que no hay instan-

---

[22] Se refiere a Jerónimo Ruiz de Benecerta, que satirizó *Academia poética-astrológica,* el almanaque de Torres para 1725, en *Prácticos avisos con que el Pronóstico de Salamanca de este año de 1725, instruido de los lectores, corresponde a su Padre y Autor el Bachiller Don Diego de Torres,* Madrid, Francisco Martínez Abad [1725]. Torres replicó con *Desprecios prácticos de el Piscator de Salamanca a los Prácticos avisos de D. Gerónimo Ruiz de Benecerta, dedicado a los señores majaderos, tontos, ignorantes, salvajes y necios del mundo,* Madrid, Librería de Fernando Monge [1725]. Tampoco *Viaje fantástico* y el propio *Correo* se librarían de ataques, como el de José Matilde, *Carta de el Gran Paracelso al Gran Piscator de Salamanca. Notas y advertencias a su Viaje fantástico y Correo del otro mundo,* Madrid, Bernardo Peralta [1726]. Torres, cuyos reflejos polémicos eran entonces muy sensibles (pronto se apaciguarían, más por filosófica resignación que por falta de ocasiones), respondió el mismo año con *Cargos al autor del Gran Paracelso* [s.l., s.i., s.a.].

[23] *P* añade: *porque los más se irían con la candela en la mano, y desde el mundo de la verdad no me pueden venir más que negras memorias.* Acepto en este apartado aquellas correcciones de *S2* y *S3* que, sin alterar el planteamiento de *P,* eliminan algunas excrecencias innecesarias y construcciones sintácticas defectuosas o confusas, añadiendo precisión y fluidez al texto. No es el caso de la interrogación que sigue (*¿Qué oculto... chamuscan?),* también omitida en *S2-S3,* que anticipa el posterior «habrán mojado en fuego sus plumas» e introduce la primera alusión a las cartas y las hace misteriosamente presentes ya en el texto, pues aún no se ha aludido al portador de las mismas. Alguna que otra mención posterior puede resultar ya innecesaria.

[24] *P: entretener.* La lectura de *S2-S3* es más coherente con el contexto.

[25] Sigo a *S2* y *S3. P* añade: *y yo no puedo responder con chispas; y ahora menos, que nos han vedado las armas de fuego; y no me he de exponer yo por cuantos muertos yacen a peligro de pasear en ajenos pies la Corte.*

[26] *P: Y si tienen.*

te en que no se estén acabando. Y si fueran difuntos de vergüenza y de buena crianza, podían saber que en nuestra esfera no corren más que embustes, sueños y mentiras; pero serán
unos muertecillos bachilleres, traviesos, que no sabrán todavía dónde les muerde la muerte. Si piensan[27] que yo puedo
servirles de luz en sus tinieblas, mueren engañados; que en mí
sólo arde una escasa lumbre que la necesito para no tener a
oscuras mi razón natural. Y pues vuestras mercedes no la tienen para hacerme esta burla, vayan a otro vivo con ese hueso.

Si este correo[28] (que cerrado me asusta) es, señores difuntos, para que me prevenga a ser finado, y es convidarme a sus
roscas el día dos de noviembre[29], doylo por hecho, que también tengo alma y sé que esta posada de la vida se paga con la
moneda de la muerte, y este ruido que hacemos los que posa-
mos en este mesón se paga con la quietud eterna de un sepulcro, y aun después de muerto sé que tengo que pagar a los que
me lleven[30] por presa a los gusanos. Y aunque esta verdad no la
viera practicada en tantos entierros míos (pues ya van veinte y
ocho al ataúd)[31], me lo parlan cada día mis muertos abuelos, y
mis vivos padres me lo acuerdan; que muchas veces les oigo decir: «Mañana me moriré»; «Tú, hijo mío, te quedas, y puede ser
que vayas antes, que la Descarnada tan presto desuella al borre-
go como al carnero.» Y me lo cuentan los muchos caminantes
a quienes cada día veo soltar la piel en la posada[32].

---

[27] *P: Y si (falsamente instruidos) piensan.*

[28] *P: Y si este correo.*

[29] En la liturgia católica, día de la Conmemoración de los Fieles Difuntos.

[30] Lectura de *P. S2-S3: llevan.*

[31] Torres solía quitarse años en sus escritos. En realidad, había cumplido o
estaba a punto de cumplir treinta y un años.

[32] *P* añade: *y por alta disposición del Altísimo tienen en perdurable arrendamiento
las Parcas.* Y a continuación el párrafo siguiente, también suprimido en *S2-S3:
Desta suerte entregado a las melancólicas mortales especies, moviendo un monte en cada
planta y todo poseído del humor negro, desalojando del corazón un elemento de suspi-
ros, y consultando al tacto de los ojos (por si soñaba otro* Viaje fantástico*) y sacudien-
do la pesadez de los miembros, en que los tenía rendidos la triste memoria, me vi sin
duda despierto y abrazado con las Cartas; y tirándome la tristeza en una silla, volvió
a juicio la fantasía, y despertó en la imaginación estas reflexiones.* Sigo en la omisión
a *S2-S3,* pues el párrafo, además de resultar confuso y no muy coherente, es
redundante en su función con otro posterior, más sencillo y preciso.

Jamás oí decir que hubiese postas para los barrios de la otra vida ni de la otra muerte[33]. A mí me han engañado los matemáticos en la descripción de este globo. Porque me han enseñado que es una bola encerrada en el cielo, pero independiente de él[34]; y aunque tiene un eje que la atraviesa, es solo imaginado, y para caminar a sus cóncavos nos falta el piso, y es menester descalzarnos la vida para trepar a aquellas espesuras, y tomar una senda muy angosta, llena de tropiezos y estorbos, porque cada hora la está cegando el diablo, porque pierde infinito en que los vivientes la pisen. El infierno y purgatorio tampoco se comunican con la superficie de la tierra; mas puede ser que de puro cavar hayan dado en ello, porque es carrera ancha y lastimosamente trillada, y se habrá manifestado con el curso de los días alguna rotura comunicable a sus entrañas. Pero también para entrar es menester desnudarse los lomos en tierra.

¡Válgame Dios! Yo no sé cómo ni por dónde tomó el portante este licenciado para ser portador de estas cartas. Él me pareció hombre (aunque hay escolares de estos que son demonios). Ángel no pudo ser, porque era muy patudo, y más tenía de carne que de espíritu. ¿Diablo? No había de vestir el hábito de mi padre San Pedro. Él bien horrible era, pero era muy pesado, y no había de enviar Lucifer mensajeros tontos (aunque para mi flaqueza, sobraba el diablo más salvaje)[35]. ¿Tener conversación con los muertos por medio de la memoria? Esto es posible, y fructuosa plática para el último fin. Pero escribir cartas por estudiantes es cosa que no habrá sucedido a ninguno viviente, si no es a mí, que me suceden cosas que no están escritas.

Padeciendo estaba estas dudas y batallando con estas fantasías, a ocasión que un huésped mío (que se había pasado a un cuarto más abajo) llegó y, viéndome devanado en la silla y columpiándome sobre los brazos, y la cara en conversación con

---

[33] P añade: *pues ¿qué sé yo si estas Cartas vienen del cielo o de algún lugar vecino de los que manda Plutón?*
[34] P: *independiente de el Cielo.*
[35] Sigo aquí a P. S2-S3 omiten *(aunque para... más salvaje).*

las rodillas, no sin lástima me acostó la cabeza en sus brazos y, mirándome muchas veces al semblante, dijo[36]:

—¿Qué tienes? Vuelve en ti. Esa cara es de habérsete aparecido alguna cosa sobrenatural. ¿Qué pesadumbre te ha hurtado el color del rostro?[37]. ¿Quieres agua?

—Sí —le dije—, que me quemo.

Y bebiendo yo y rociándome él, me sentí algo más desahogado y le dije:

—Yo, sin duda, me debía algo, porque siento que me voy cobrando. Y te aseguro que no estoy descolorido a humo de pajas, que esas cartas me han dado no sé qué tufo, que me tienen encendido y sofocado el cerebro, y si no llegas dura más la chamusquina. ¡Jesús mil veces! Si este es diablo, el diablo sea sordo[38].

Y otras mil veces con la santa señal me crucé la cara[39]. Mi amigo procuró alentarme y me decía:

—Vamos, despacha, di el motivo de tu angustia. Recóbrate, ya que estás cobrado, que pareces la misma tribulación. Vomita, que ya sabes que soy buen amigo y callaré cualquier lance y te ayudaré en toda ventura.

—Pues, con licencia de mi miedo, oye —le dije— y consuélame; pues desde niño sé que los males comunicados minoran los sentimientos de los males.

---

[36] La lectura de *P* mantiene la ambigüedad realidad-fantasía. *S2-S3*, de acuerdo con su planteamiento explícito del sueño, sustituyen el párrafo anterior por el siguiente: *Soñando a fantasía suelta formaba yo estos discursos y argumentos. Y fue tan poderosa la violencia de la imaginación, que se desataron los sentidos exteriores y, dando dos vuelcos sobre la cama, me vi despierto y asustado notablemente del insomnio. Gocé de mi racionalidad un breve rato, pero de allí a pocos instantes me volvió a agarrar el sueño, el que siguió la pasada fantasía con tales ilaciones y coordinación como si estuviera logrando toda la entereza de mi juicio. Prosiguió el sueño persuadiéndome que un amigo y compañero en mis æventuras se había colado por la puerta de mi cuarto, y que, viéndome devanado en el sillón, no sin lástima me recostó la cabeza en sus brazos y, mirándome muchas veces al rostro, me decía.* Adviértase el significado cultista que tiene aquí *insomnio* ('ensueño, sueño'): del lat. *insomnium,* «sinónimo de *somnium* empleado por autores de la Edad de Plata y ya alguna vez por Virgilio» *(Corominas).*

[37] *S2-S3* omiten *¿Qué pesadumbre ... rostro?*

[38] *el diablo sea sordo:* locución que expresa el temor de haber dicho algo inconveniente o el deseo de que no se cumplan los temores recién expresados.

[39] *S2-S3* omiten *con la santa señal.* El gesto de persignarse hace más comprensible a *P,* aunque la expresión «cruzarse la cara» pueda expresar lo mismo por sí sola.

Golpeaban la puerta de mi cuarto (esta tarde que logré estar solo) con tanta furia que, porque no la echara por tierra el que la aporreaba, dejé un libro en que estaba aprendiendo y salí con resolución de echarle enhoramala. Abro la puerta, cuando —¡Dios nos libre!— di de hocicos con un estudiante tan negro que parecía de lápiz. El semblante arado de arrugas, tan horrible que solo tenía de bello algunos pelos en el bigote que corrían derechos a la oreja, a modo de puentecilla de guitarra[40]. La fisonomía hizo sospechoso el sexo; pues por las pocas barbas y las muchas arrugas, si no era hembra, no se escapaba de epiceno. Sorbido de mofletes, dos tiznones por ojos, y en cada pestaña tenía una tienda de aceite y vinagre[41]. Todos los signos del cielo tenía en su figura, y con todo eso no vi señal en él que no fuese de condenado. La cabeza era de Aries, el ceño de Tauro, las narices de Cáncer, la boca de Escorpión; y todo él Virgo, pues nadie sino otro diablo nefando se atrevería a su maldita traza.

Este, pues, descolgando la mandíbula inferior, que era tan grande que se le bañaba en el pecho, hablando a pujos[42] y como que los iba a hacer (porque su traza no era de hacer cosa que oliese bien), y como dando las boqueadas, me dijo:

—Tome esas cartas del otro mundo. Dos días tiene de término para responder, y déjeme aquí la respuesta, advirtiéndole que para mí no hay puerta cerrada. Y si su flojedad no le dejare responder, ¡cuenta![43].

Y puso el dedo índice (que parecía una salchicha) en la nariz, jurándomelas de mal gesto. Y aunque le vi y le oí, se desapareció tan presto que no fue ni oído ni visto. Las cartas son esas que están sobre ese bufete; el sopón[44], el que te he pinta-

---

[40] *puentecilla:* puente, la tablilla transversal inferior a la que se sujetan las cuerdas del instrumento.

[41] Como es sabido, Torres alcanzará en *Visiones* su maestría en este expresionismo pictórico de raigambre quevedesca. Sobre este punto, véase Ilie [1968], Sebold [1976] y Martínez Mata [1990].

[42] El sentido amplio de la locución *a pujos* ('poco a poco, dificultosa e intermitentemente') propicia el juego escatológico que sigue.

[43] *cuenta:* atención, mucho cuidado.

[44] *sopón:* estudiante sin recursos que se mantenía con la sopa de los conventos y otras limosnas.

do. Mira si le sobra causa a la angustia, que aún me tiene en prensa el corazón.

—Tú no eres aquel Torres que yo conocí en Salamanca —dijo mi huésped—. A ti te han trocado estos políticos de la corte de desgarrado en melindroso y espantadizo. ¿Dónde está aquella risa? ¿Aquel desenfado? ¿Aquella conformidad con que tratabas en otro tiempo (y no ha mucho) todas las cosas?

—¡Oh, amigo! —respondí—. Este es otro cantar. Que yo desprecie a quien con mala intención procura quitarme el sosiego, que me zumbe de mi opinión y de lo que los hombres llaman honra (que es el mayor petardo que Dios nos puede dar), que me ría de los delirios, abusos y engaños del mundo, pase, que al fin me han desengañado las experiencias y las noticias; pero que los muertos me envíen cartas y se vengan a responsos conmigo, como si fuera otro tal que ellos, no me hace buen estómago, que yo sospecho que tienen licencia. Y si lo han urdido entre sí, peor, porque Dios nos libre de un muerto desatado, que en cogiendo una pusilanimidad como la mía debajo no la dejará a sol ni a sombra. Y tienen tantas tretas, que esperan a uno cuando está más solo y en los lugares más tristes y oscuros, donde ellos se abultan más y se ven menos.

—Hombre —me dijo con alguna impaciencia mi camarada—, déjate de fantasmas y no me cuentes mortorios[45], que ese licenciado es algún sacristán que tendrá gana de oírte y de darte este chasco. ¿Tan ociosos te parece a ti que están los difuntos que habían de tomar el entretenimiento de escribirte? A los que atormentados están con la esperanza de ver a Dios, sobrada pena es el esperar. A los miserables precitos[46], les falta tiempo (siendo allí momentos los siglos) para clamar el *ergo erravimus a via veritatis*[47]. Los gloriosos, no lo fueran si desper-

---

[45] *mortorios* en las tres ediciones. Variante expresiva coloquial de *mortuorio* (preparativos y ceremonias para un entierro).

[46] *precitos:* condenados a las penas del infierno.

[47] Cita bíblica del *Libro de la Sabiduría: Ergo erravimus a via veritatis, et iustitiae lumen non luxit nobis, et sol intelligentiae non est ortus nobis* (Sap. 5, 6). [«Luego nos desviamos del camino de la verdad, y la luz de la justicia no nos alumbró ni el sol de la inteligencia salió para nosotros»].

diciaran el alma a otro recreo que el de la hermosa beatífica visión. Vuelve en ti, no seas loco, que estos son cuentecitos entre el papero[48] y la mortaja, que solo pueden pasar entre tocas y mantillas. El que una vez se muere echa la bendición al mundo y no le volvemos a ver por acá. Y apenas expira, cuando se le olvida el leer, escribir y contar, que allá tienen una lengua y pluma con que se explican sin pluma ni lengua, y una práctica breve de números con que ajustan las cuentas en un abrir y cerrar de ojos. Y para que veas que estas cartas son petardo[49] de algún alegrote que tiene gana de mofarte, vamos abriendo poco a poco.

—Todo eso —dije—, aunque yo lo sabía, como me robó el miedo la reflexión, se huyó su memoria a lo más retirado de los sesos[50]. Pero la sospecha que me queda para creer que son cartas del otro mundo es que el licenciado no me llevó porte por ellas, y en nuestras estafetas ya sabes que nos estafan uno o dos cuartos más que los regulares portes. Y el estudiante tenía una cara hambrienta, y no había de perderse veinte cuartos, que es lo menos que me podían costar.

—Cuando se hace una burla —respondió mi amigo—, el mayor chiste es disfrazarla de modo que engañe; que, de otra suerte, mal se consigue el fin del chasco[51].

—Pues[52] rompe los sobrescritos —le dije—, y veamos[53], que ya estoy menos escrupuloso y más en mí viendo esta estafeta. Y venga de donde viniere, que todo lo compone una santa y alegre resolución. Y para que de una vez nos traguemos todo el veneno, ábrelas todas y lee las firmas.

Abrió mi amigo las cartas, que eran cinco. Y la primera firma decía: *Besa la mano de vuestra merced quien es su enemigo, el de*

---

[48] *papero:* puchero para hacer la papilla infantil, o la misma papilla. Pero aquí parece equivaler a *babero,* según se deduce de la simetría semántica antitética.

[49] *petardo:* engaño.

[50] *P: se huyeron esas noticias, por el susto, a lo más...* La corrección de *S2-S3* elimina la redundancia *miedo-susto* y agiliza el período.

[51] *S2-S3* omiten esta réplica del diálogo.

[52] *S2-S3: No obstante.*

[53] *S2-S3: veamos esta estafeta.* Y omiten luego *que ya estoy ... estafeta.*

su oficio. El gran Piscator de Sarrabal[54]. Y abajo decía: *Señor Piscator de Salamanca.* Y estas palabras las fue como deletreando mi amigo, porque era una letra a modo de gótica, trabajada como por mano de paralítico. Pero la plana era de mediana forma, y en ella muchas figuras, números y círculos. La segunda carta era un pliego de papel de peor letra, tupida y menuda, menos las *RR,* que estas eran grandes y repetidas aun en medio de la dicción, y algunos garabatos a quien los niños de escuela llaman *cúcaras,* y *rúbricas* los escribanos; y firmaba *Su servicial amigo de vuestra merced Hipócrates*[55]. *Señor Piscator de Salamanca.* La tercera estaba llena de *DD, CC, LL* y *§§,* y las letras muy gordas y los renglones muy anchos; y tenía esta dos pliegos de papel sellado, y firmaba *Su ajado maestro el jurisconsulto Papiniano*[56]. La cuarta, de letra muy menuda, sin márgenes, con infinitas abreviaturas; y abajo firmaba *Quien desea persuadir a vuestra merced a la verdad, el macedón Aristóteles.* La quinta carta, que era muy limpia y de letra muy clara; y firmaba *Quien aconseja a vuestra merced la verdad. Un muerto que vivió como que había de morir.*

En cada carta venían inclusos otros pliegos para mí. Y díjele a mi amigo:

—Leamos una, sin dar lugar a la fantasía a que se revuelque más en la idea, y tiempo habrá para leer los adjuntos papeles. Que te aseguro que esto no sea chasco, pues al corazón, que siempre fue fidelísimo profeta de mis males, lo siento nueva-

---

[54] Sobre este astrólogo y almanaquero italiano del siglo XVII, el almanaque que a su nombre seguía publicándose en Madrid en el XVIII y los conflictos de Torres con los editores del mismo, véase la Introducción.

[55] La elección como modelo clásico de la Medicina de Hipócrates frente a Galeno (emblema de los médicos más adictos a la ciencia escolástica) no deja de tener su significado en el contexto de las disputas ideológico-científicas de principios del XVIII. Véase Introducción.

[56] El jurisconsulto romano Papiniano murió en el año 212, tras ser condenado a muerte por el emperador Caracalla. Dado el papel fundamental que el derecho romano mantuvo a lo largo de los siglos en los estudios de jurisprudencia, es explicable que Torres lo eligiera como arquetipo clásico del campo del Derecho. La llamada *Ley de Citas* (año 476) dejó establecida la preeminencia de los escritos de algunos jurisconsultos (Gayo, Ulpiano, etc.) y, caso de discrepancia, la autoridad máxima entre ellos de Papiniano, a cuya opinión debían sujetarse los jueces.

mente sobresaltado, y al alma sobrecogida de esta novedad. Y si la dejo trascender hasta donde pueda llegar, con razón temo perder el poco juicio que Dios (no sé hasta cuándo) me guarda.

—Aun cuando esta nunca usada estafeta —dijo mi camarada— fuese verdad, no debes tener el menor sobresalto, pues al que se le aparece un difunto, el mayor mal que le deja[57] su visión es que muere breve. Y siendo, como tú sabes, precisa esta jornada, el susto de esta fantasma[58] solo te puede quitar algunos días de vida; que muchos, aun teniéndola en su mano, dieran años encima por tener este aviso anticipado. Y así, valor y no desmayes, que es preciso hablar con la pluma a estos muertos, aunque me vuelvo a ratificar en que este es chasco y ociosa idea de algún perillán zumbón que quiere reírse a tu costa.

—Me consuelas tanto, que si me hubiera cogido solo este pensamiento —le dije— hubiera dado al traste con la razón. Y así, sea lo que fuere lee los pliegos, que yo los he de responder sobre la marcha. Y si no fueren verdaderos difuntos los que me escriben, para cuando lo sean llévense para allá mi respuesta.

Y, santiguándonos a un tiempo los dos, leyó mi amigo la primera carta, que decía:

---

[57] *deja* en *P* y *S3*. *S2: dejaba.*
[58] *S2-S3* omiten *de esta fantasma.*

Carta del gran Piscator Sarrabal de Milán al gran Piscator de Salamanca, Don Diego de Torres y Villarroel

«No hizo más que apearse de la vida, donde por ahora corre vuestra merced con la falsa moneda de sus cuartos[59], señor astrólogo salamanqués o salamanquesa (pues donde pica mata), un muerto de mediana edad; pero tan flojo que cada cuarto[60] se le caía por su lado. Tocóle a este a la derecha de la mía su caja, y al ruido de estregarse las maderas dije yo:

—¿Quién viene allá?

Y el tal, muy tendido, sin moverse de su ataúd, me respondió:

—Un cuerpo a quien un cólico le sopló el alma, y vengo por permisión de Dios a este lugar que, sin duda, debe ser casa de astrólogos, pues no suena por aquí otra cosa que antojos[61], tablas y compases.

—Algunos profesores se pudren aquí —acudí yo[62]—, pero vuestra merced es el que viene antojado[63], pues los cúbitos,

---

[59] Los cuartos o fases de la luna, en los que el Piscator apoyaba sus engañosos cálculos y predicciones; *cuarto* era también una moneda de cobre, y en plural 'dinero', igual que hoy.

[60] El juego se completa con una nueva acepción del término: cada una de las cuatro partes en que se considera dividido el cuerpo de los cuadrúpedos (y también, como recoge *Aut.*, de los malhechores cuyos despojos se exponían para escarmiento público).

[61] *antojos:* anteojos.

[62] *P: dije yo.*

[63] *antojado:* afectado por antojo (término que, además de 'deseo vivo y pasajero', significa 'juicio precipitado').

116

canillas y fémures se le hacen antojos. Estas tablas lo fueron de muslos, y los que sueña compases son radios, tibias y suras destrozadas[64]. Y todo lo que atienta son despojos de nuestras fábricas, que los tenemos hacinados[65] mientras llega el día de recoger cada pobre sus trebejos y vestirnos para parecer ante el Supremo Tribunal; que nos estamos deshaciendo esperando esa hora por tener un día, pues hasta ese todo será noche. Y vuestra merced, que es muerto novicio, cuide de sus trastos, que cuando menos piense nos harán la señal, y entre oír la trompeta y montar en los huesos no ha de pasar instante[66]. Y cuenta con los gusanos, que son malos bichos y le esconderán algún casco, donde después ande hecho un loco tras él, y se quedará para siempre sin ver el juicio, que aquel día universalmente lo hemos de tener todos por la infinita bondad de Dios.

—¿Eso tenemos? —dijo el difunto—. Pues ya que por acá no se gasta luz yo procuraré estar en vela, que soy muerto de todos cuatro costados[67], y es menester dar razón de mi persona y comparecer decente en cualquiera ocasión que se ofrezca.

Así acabó su prosa. Y, quedándose tendido en la caja, no volvió a levantar más cabeza.

Sentí a este tiempo un ruido hacia los pies, y por lo pronto consentí[68] que fuese alguna sabandija de las que criamos a nuestros pechos, que se arrimó a morderle los zancajos (que aun aquí no estamos libres de esas mordeduras) o que quiso hacer pascua en sus carnes[69], pues ya de puro roer nuestros huesos se iban quedando ellas en la espina. Hasta que me desengañó la enferma luz de una lámpara que escasamente por una rima de la losa[70] se percibe en este seno, y con ella pude

---

[64] *suras*: peronés.

[65] En *P* se lee *asienta* en lugar de *atienta* y *asignados* por *hacinados*. Aunque tal lectura no carece de sentido, resulta más coherente la de *S2-S3*.

[66] *P: no han de pasar instantes de por medio.*

[67] Acuñación irónica sobre 'hidalgo o cristiano viejo por los cuatro costados'. Torres se burla de nuevo del prurito de honra.

[68] *consentí*: con el sentido de 'admití' o 'supuse'.

[69] *hacer pascua*: volver a comer carne tras el ayuno, como en Pascua tras la cuaresma.

[70] *rima*: hendidura.

ver un librillo con un retrato medio parecido a mí cuando vivía[71] (que algunos de los que velaron, por engañar al sueño le estaban leyendo, y se les quedó olvidado en la caja del difunto), y vi que era el *Piscator de Salamanca*. Leílo todo, y le aseguro a vuestra merced que me valió no tener tripas; porque, a tenerlas, me las hubiera revuelto de tal suerte que reventara de otra cólica, como el que entró a ser morador de estas oscuridades.

Vuestra merced perdone lo primero esta digresión; que, aunque estoy tan enfadado, he querido sacarle de la duda en que le sospecho de cómo vendría a mis uñas su papel —ya que del susto de leer mi carta no le haya podido librar[72]. Lo segundo, el estilo; porque[73] yo ha mil eternidades que perdí la memoria de las cartas misivas[74] y no sé si va arreglado o no. Y por no detenerle, porque vuestra merced no está tan de espacio como yo, quiero ya decirle los justos motivos de mi enojo.»

Dobló aquí la hoja mi camarada y dijo:

—Todavía te miro enajenado. Mira y considera cómo es capaz de escribir un muerto, deshecha anatomía de un osario. Discreta burla son las cartas del que con esta invención te la remite. Y, quizá, especial movimiento de Dios, que por tan rara aventura te da motivo para la precisa consideración de la muerte y en lo que todos hemos de parar a pocos instantes. Que nuestra idea ha de ser fabricar feliz recreo para el espíritu, que los depósitos del cuerpo que tanto estimamos todos son unos, y el paradero el mismo; pues el más aseado panteón no los ha librado del asco y la hedentina, ni de ser bodegón de gusanos que hacen manteles de nuestras últimas mor-

---

[71] Los almanaques anuales de Torres solían incluir un grabado con la imagen del Piscator de Salamanca, frecuentemente rodeado de libros, compases, globos terráqueos y demás instrumentos de su oficio.

[72] *S2-S3* omiten *ya que del susto... librar.*

[73] *P: que.*

[74] *cartas misivas* (cuya modalidad más frecuente era la *carta familiar*), se llamaba en la preceptiva clasicista y en los manuales para escribientes a las cartas personales intercambiadas por particulares, para diferenciarlas de otras muchas variedades de tipo literario, jurídico, etc.

tajas. Y así, vive con cuidado místico, y estas casuales burlas recíbelas como determinado aviso.

Leyó mi amigo; y proseguía así la carta del Sarrabal:

«Vuestra merced, señor Pescador, ha echado sus redes por el gran charco de la corte, y sin saber lo que se pesca ha cogido algunos atunes (que se crían grandes en Madrid), y estos le han hecho la olla gorda a su fama[75]. No quiero quitarle la gloria de la invención del cebo, que no hay duda que está amasado con una coca con que ha sabido hacerles la cuca[76]. Sepa vuestra merced que si ese veneno lo hubiera tenido yo por saludable no me faltara maña para verterlo por mi era; pero es contra el juicio y seriedad de la profesión, y no quise cargar la conciencia.

La tabla de Hermes, la rueda que consintió el venerable Beda en sus obras de Petosiris, los pronósticos de Jorge Purbachio[77],

---

[75] *hacer la olla gorda:* como 'hacer el caldo gordo', beneficiar a otro involuntariamente.

[76] *coca:* masa de harina y otros ingredientes; *hacer la cuca:* burlar, engañar. Ninguno de los diccionarios a mi alcance recoge esta expresión, ni la palabra *cuca* con esta acepción. Pero Lamano incluye en su repertorio de salmantinismos el verbo *cucar* ('hacer burla' y 'molestar, injuriar'), y Correas recoge en su *Vocabulario* el refrán «Al cuco no cuques y al ladrón no hurtes».

[77] No falta rancio abolengo en este desfile de «autoridades» del arte de astrologizar, empezando por una fuente primigenia: Hermes Trimegistos, el viejo dios egipcio Thoth reciclado a la griega, supuesto autor o revelador de una serie de escritos de cosmogonía, astrología, magia, alquimia, filosofía, física, etc., origen del *Corpus Hermeticum*, cuya pervivencia en el humanismo europeo fue más importante de lo que en principio pudo sospecharse. La «tabla» a la que se refiere Sarrabal puede ser la *Tabula Smaragdina*, obra de culto para los alquimistas. Beda el Venerable (672-735), que se esforzó en rescatar en sus numerosos compendios jirones de los saberes antiguos e integrarlos en la cultura cristiana, se convirtió en una coartada para quienes se movían en fronteras peligrosas. En las bibliotecas europeas era posible encontrar entonces la edición de Colonia de 1688 de sus *Opera theologica, moralia, historica, philosophica, mathemathica et rhetorica*. Al egipcio Petosiris (siglo IV a.C.), gran sacerdote de Thoth, se le atribuyeron escritos que Ptolomeo utilizó en su obra astrológica *Apotelesmatika* o *Tetrabiblos*. El de menor rango de la serie es el último, Jorge Purbachio o Georgius Purvachius (1423-1461), autor de *Theoricae novae planetarum* (Venecia, 1495). Recuérdese que Torres, como aspirante primero y luego como flamante profesor sustituto de la cátedra de Matemáticas, anduvo revolviendo los pocos y viejos libros que tuvo a su alcance, pero de los que su ingenio sacó una mina de oro (su oficio de almanaquero) y materia con la que llenar (añadiéndole sus burlas) dos nuevos libros de 1726: *El ermitaño y Torres* y *La Suma medicina o piedra filosofal.*

ni los juicios de cuantos astrólogos están arrojados por estas cavernas, tuvieron la aceptación que Sarrabal. Y hasta el año de diez corrieron felices mis memorias. Yo puse en su punto y en su honra la ciencia pronostiquera, dictando solamente[78] la pura matemática de los cálculos y las conjeturas prudentes[79] de la astral filosofía. Di puntuales las lunas y eclipses, bien ajustadas las figuras[80], los horóscopos con toda precisión, y arreglados los discursos a los filosóficos sistemas de mi tiempo, sin entretenerme en metáforas, que es doctrina de Esopo[81] que solo sirve para vejar pelones de colegio[82].

Si la metáfora teatral (que ya supe que vuestra merced dio otro año)[83] se pudiera poner sin ajar el empleo, quién mejor que yo la hubiera escrito que, como sabe todo el mundo, nací entre la arietería de la Italia[84]. Y arias y puntas[85], en pueblo alguno se gastan más que en mi patria, Milán. Las coplas de esta *Academia* que han servido de cama donde ha echado los aforismos de este año de mil setecientos y veinte y cinco, es un maldito modo de ajar la profesión. Y se le conoce lo escaso que vuestra merced está de noticias de esta ciencia cuando, para llenar cuatro pliegos de papel, anda mendigando coplas o ideas para abultar y suplir con sus invenciones las ignorancias del estudio que sin fundamento sigue.

---

[78] Lectura de *S2-S3*. P: *pero ¿cómo? solamente dictando.*

[79] P: *las conjeturables calculaciones.*

[80] *figuras:* en Astrología, esquema gráfico que representa la disposición de los astros en relación con los distintos signos, en un tiempo determinado.

[81] *Isopo* en *P*; *Hisopo* en *S2-S3*. Buena percha sobre la que colgar cualquier ocurrencia. Al legendario Esopo le fueron atribuidos todo tipo de dichos y anécdotas (además de una vida inventada y una obra que seguramente no escribió).

[82] Es decir, para maltratar a pobres novatos o incautos.

[83] Alude a *Melodrama astrológica*, el almanaque para 1724. Torres utilizó también burlescamente formas del teatro musical de la época en *Academia poética-astrológica*, el almanaque para 1725 mencionado unas líneas después.

[84] *arietería:* los autores y cantantes de arietas (variante menor del aria). Es acuñación verbal no reconocida por los diccionarios.

[85] *puntas:* adornos de encaje así llamados; y *hacer puntas* era 'contradecir obstinadamente la opinión de otros', que es lo que está haciendo Sarrabal en el texto.

Yo nunca supe medir un verso, pero nuestro amigo el Gotardo[86] (que está mohoso en estos panteones) los hizo decentes y no los tuvo por tales, pues los arrojó de sus juicios. Y no hay duda que es contra el buen ejemplo, porque es mal visto mezclar entre santos y santas, vigilias y ayunos, lo profano de las liras, sonetos y romances. Y también para[87] la honra del mundo es materia vergonzosa revolver astrólogos con poetas como si fuéramos todos unos, que en mi era tenían más hambre que nosotros; y vuestra merced, ya que no se sabe dar a estimar, no quite la honra a los muertos, que su relajado estilo minora nuestra fama. Y si lo huelen por acá, más de cuatro difuntos de vergüenza que descansan en estas oscuridades nos darán de mano[88]; y entre los demás muertecillos de poco más o menos no habrá quien nos dé con el pie. Y sepa vuestra merced que ocultan estas losas muy honrados profesores.

Yo no he sabido de vuestra merced hasta ahora, que se me ha dado a conocer con este *Pronóstico* y tal cual vaga noticia que había oído a algunos finados que pasan[89] a otros encierros o se quedan[90] en este osario (que en él tenemos todo género de gente). Pero, sin que sea terrible el juicio, pudiera asegurar que está lleno de enemigos, pues no ha dejado mecánica ni arte liberal de quien no se haya burlado en su indiscreto, mordaz y satírico prólogo[91]. Pues aunque escribe generalmente mal contra el mal uso de las profesiones y ejercicios, como

---

[86] Otro astrólogo foráneo que ganó sucursal en España. *El Gran Gotardo español* era otro de los almanaques que competían en el mercado editorial cuando Torres ingresó en el negocio. Sin embargo, su difusión parece haber sido mucho más limitada y efímera que el almanaque de Sarrabal, que siguió editándose al menos hasta 1764, según se comprueba en el inventario bibliográfico de los almanaques españoles dieciochescos de Aguilar Piñal [1978].

[87] *S2-S3: por.*

[88] *dar de mano:* rechazar.

[89] *P: pasaban.*

[90] *P: quedaban.* La sustitución de la forma de pasado por la de presente es coherente con el «hasta ahora» precedente. Pero *S2-S3* olvidan corregir también «había oído», con lo que la correlación de las formas verbales se resiente.

[91] *P: y mordaz y satírico.* Nueva alusión al almanaque para 1725. La crítica de Torres es allí especialmente dura contra la falta de honradez de los agentes judiciales, la ignorancia de los médicos y la vacuidad escolástica de los maestros y doctores universitarios.

121

es el mayor número de los vivientes los que así las ejercen[92], de preciso habla con cada uno de por sí y a todos y con todos en común. Y el decir estas verdades siempre ha sido odioso, conque me aseguro que habrá granjeado gran cosecha de contrarios. Tienen razón[93], porque vuestra merced satiriza con sobrado desuello e indiscreta resolución lo sagrado de las ciencias. Al médico lo debe honrar por necesidad, al teólogo de justicia y al letrado de miedo. Si tienen cuestiones, ¿a vuestra merced qué le importa? Si dudan, harto infelices son en traer inquieta la fantasía, y dudosa en elegir lo justo. Deje a cada uno con su tema. Bien se le conoce[94] la mala compañía de las musas, pues le han trocado en desenvoltura[95] la modestia y seriedad que se gana en la astrología; y es raro a quien las tales señoras no hacen hablador y mordaz, aunque sea de muy templada condición.

Señor mío, hablemos claros: vuestra merced no sabe lo que se astrologa, pues lo principal todo lo yerra. Los eclipses y las lunaciones vienen perdidas, y el único fin del buen astrólogo es la verdad de estos movimientos prácticos; que las demás ideas son cuentecitos para las cárceles o asunto de relaciones para un estrado. Yo me he compadecido de que pierda el talento y no le aplique, ya que ha dado por esta facultad, a escribir siquiera cada año un tomito de las treinta y dos ciencias matemáticas[96], que esta tarea solo le ganara la inmortalidad.

---

[92] S2-S3: *ejercitan.*

[93] P: *Y tienen razón.*

[94] S2-S3: *se conoce.*

[95] S2-S3: *desuello.* La corrección no es acertada esta vez: incurre en reiteración y destruye la coherencia semántica de la antítesis que sigue.

[96] El estudio de las matemáticas incluía no solo las materias teóricas, sino las aplicadas (arquitectura civil y militar, balística, artillería, etc.). Tomás Vicente Tosca hace un inventario de veintidós de estas disciplinas en el prólogo a su *Compendio matemático* y da testimonio de las discrepancias sobre esta cuestión. Los estatutos de la Universidad de Salamanca atribuían a la cátedra de Matemáticas y Astrología la enseñanza de solo diez disciplinas (incluida la astrología judiciaria), pero al parecer a Torres (que había abandonado la sustitución de la cátedra en 1720 y la obtendría en propiedad en 1726) le parecieron pocas. En la segunda parte de *Visiones* (1728), Torres exhibe ante Quevedo el valor de su testimonio sobre el mal estado de las Universidades: «Yo, don Francisco de mi alma, soy un catedrático de la más excelente de las universidades, y explico en ella las treinta y dos ciencias matemáticas...» *(Visiones,* II, 6.ª).

Y olvide metáforas y coplas; que, si yo me hallara en el protoastrológico[97], le pusiera perpetuo silencio en ellas; que la facultad poética es una incurable[98] tiña que se pega en el juicio más bien humorado. Y para que desde ahora hasta el tiempo que viva ponga sin tanto error sus lunas y cuartos, de caridad le envío en el adjunto pliego la práctica más fiel y más breve de los cálculos. Y no se detenga en responder, que el portador es seguro.

Tenga vuestra merced salud.

De mi podridero, feria ninguna, y por consiguiente ni día, ni mes ni año, que por aquí solo se ferian eternidades.

Besa la mano de vuestra merced quien es su enemigo, el de su oficio.

El gran Piscator Sarrabal de Milán

Señor Piscator de Salamanca».

---

[97] *protoastrológico:* acuñación verbal sobre el modelo de *protomedicato,* el tribunal encargado de examinar la preparación de quienes aspiraban a ejercer profesionalmente la medicina.

[98] *S2-S3: incorruptible.*

—Verdaderamente que, para estar enterrado el señor Sarrabal, le sobran alientos. Como murió a puñaladas (salvo sea el embuste) respira por la herida, y por eso moja en sangre la pluma. Pero ya podía habérsele resfriado porque, después de morir muy viejo, pasan ya de treinta años que está sirviendo de refectorio a los gusanos y de añadidura a los terrones[99]. Díceme que lo que escribo es mal hecho, y no se mira su corcova. Muerto está y no lo conoce. Y si por ser antes finado que yo piensa que tiene licencia para satirizarme, muere engañado, que a los difuntos solo les está bien pedir misas, pero no se escriben dicterios. Y si está en paraje donde no le sirven las oraciones, calle su boca y púdrase como pudiere, que lo mismo hago yo y tengo una vida como una horca.

Esto le dije a mi amigo cuando acabó de leer la carta. Y me respondió:

—Amigo: si es chasco, responde a quien te lo da, respecto a que han de venir por la respuesta; y si es verdadera carta del otro mundo, también, y sepan los muertos[100] que todavía ha quedado en la vida quien les sepa mullir los huesos. Los cálculos que envía, después los podemos reconocer.

—No obstante —respondí yo—, debo, solo así por alto, recapacitarme en el contenido de su doctrina, porque de otra suerte será responder a bulto a esta sombra.

Registré por mayor la obra[101] y suplicándole al amigo que tomase la pluma le dicté la respuesta de este modo:

---

[99] *S2-S3* omiten *de refectorio a los gusanos y*. Sigo en cambio a *S2-S3* en la supresión del añadido de *P* tras el punto: *Para capitular de infame esta acción, no había menester más que verla en otro muerto.*

[100] *S2-S3: los finados.*

[101] *S2-S3: lo contenido.*

Respuesta del gran Piscator de Salamanca al gran Sarrabal de Milán

Recibo la de vuestra mortandad, y aunque no le he merecido que me diga de su salud, por acá se sabe que, si no está bueno, ha muchos días a lo menos que no le duele nada. Bien[102] se conoce que está vuestra merced de espacio. Porque para enviarme a decir que leyó mi *Pronóstico* y le pareció mal —que está dicho en lo que tengo dicho—, me gasta una historia de un muerto, sobre si se apeaba de la vida, si era flojo o desmadejado[103], como si en mi vida no supiera yo qué es muerte. Los que vivimos, señor mío, desde la escuela del nacer pasamos a la ciencia del morir, y los que tenemos vida somos los muertos y los vivos. Pero vuestra merced ya es ni vivo ni muerto, sino un terrón[104] de frío polvo que quedó de su muerte y de su vida. Y si quiere ser muerto le ha de costar volver a la vida, pues ya no puede morir el que está en la nada del no ser.

Díceme que si hubiera tenido tripas se las hubiera revuelto mi *Pronóstico*. Y en verdad que no sabe vuestra merced la fortuna que ha tenido, que por tener yo estómago se me han asentado en él sus mentiras de tal suerte, que toda la triaca

---

[102]   *P: Y bien.*

[103]   La capacidad de desdoblamiento y de descaro del Torres autor repercute beneficiosamente en la sensación de verosimilitud. Al achacarle a su personaje defectos del relato que él mismo está escribiendo, subraya la autonomía del texto.

[104]   *P: sí un terrón.* Ambas lecturas resultan confusas por la ausencia de negación anterior *(ya es* en lugar de *ya no es).*

magna[105] no resolverá el embargo en que estoy. Siempre fui defensor grande de la facultad[106] y apasionado de vuestra merced; pero, pues llegó el caso de reñir aquellas y aquellos, se descubrirán los hurtos[107].

La vanidad de verme pintado con antojos, compases, estrellas, libros y bigotes, como yo vi a vuestra merced, me engañó a estudiar y aprender embustes. Y pues todos lo son[108], no nos creamos oráculos; que, hablando para los dos, todo lo que vuestra merced puso en sistema[109] de «guerras en Aries», «muertes de potentados en Piscis», «discursos de cometas en Leo», «ruinas de casas viejas en Escorpio»; el «desteta niños», «compra», «ve a caza», «recibe criados», etc., es un embeleso para tontos. Y vuestra merced sabe muy bien cómo se pone para escaparnos siempre de la nota de embusteros y salvar los aforismos.

Yo heredé sus embustes, y mañana me sucederá a mí otro bobo que adelante los míos. Y siempre habrá quien nos crea, porque siempre habrá mentecatos. Y pues ni a estos, ni a nosotros, ni a vuestra merced (aun estando en el mundo de la verdad) no ha llegado un sesudo desengaño y todos estamos incapaces de enmienda, es preciso aguantar, y pase todo. Y si vuestra merced se quiere pudrir, buena ocasión tiene[110]; y aunque acá no faltan, yo procuraré huir hasta la precisa[111], que nada del mundo importa tanto como mi pachorra[112].

---

[105] *P: atriaca magna.* Era un compuesto medicinal usado especialmente contra las mordeduras o picaduras venenosas de reptiles o insectos.

[106] *la facultad:* aquí, la «ciencia» astrológica que ambos practicaron.

[107] *Aut.* recoge el refrán «Riñen las comadres y descúbrense las verdades».

[108] *P: Y así.*

[109] *que hablando... sistema* en *P. S2-S3: Todo lo que Vmd. puso.*

[110] El doble sentido aparece por la acepción 'consumirse de disgusto, fastidiarse' que también tiene *pudrirse.*

[111] Hasta la ocasión precisa, es decir, hasta que sea inevitable.

[112] Sigo a *S2-S3* en la supresión de un párrafo —que *P* añade a continuación— de contenido prescindible y redacción deslavazada: *Dice Vmd. que mis redes no saben lo que se pescan; pero las suyas, señor pescador, ya no saben pescar. Y todo el pleito es porque yo pesco, y a Vmd. le han pescado. El cebo yo lo amasé; y aunque dice que es bueno para pesca de atunes (y que hay muchos en la Corte), en su tiempo de Vmd. no daban los mares otras pescas; y los que hay por acá son más bonitos; y la cosecha de estos le hicieran a Vmd. más salado; y por eso nunca corrió tormenta su nave, porque siempre estuvo a la lengua del agua. Pero dejemos metáforas, que Vmd. no me entiende, aunque yo bien me explico.*

No tengo la menor queja de que vuestra osatura me trate mal en su carta, cuando en ella leí el desprecio con que trata al gran Petosiris (a quien honra el venerable Beda, consintiéndole su rueda en sus escritos) y al insigne filósofo astrólogo[113] Hermes. Y en la tabla de este besó vuestra merced con felicidad el puerto de su fama, y en la rueda de aquel corrió con gran bonanza su fortuna. Y cuando vuestra merced no nos ha dejado otra memoria que un pronóstico[114] (que lo hacemos acá en ocho días, y nos sobran cincuenta horas), hace mal de querer usurpar la gloria a los antiguos con sus dicterios. Vuestra merced se dio más a conocer (lo mismo nos sucede a todos). Pero es la razón porque la rueda del uno y la tabla del otro no salieron a la vulgaridad; y nuestros papeles no hay bodegón, azotea, zaquizamí[115] ni taberna donde no estén al paso; conque es preciso haber ganado más conocimiento. Y la ventaja que vuestra merced nos lleva a los demás es haber nacido sesenta años antes; que, en las obras, entre ruin ganado hay poco que escoger[116].

No quiero creer que le pasó a vuestra difuntez por la fantasía el estilo metafórico que condena en mis almanaques, porque no me persuado que quisiese, teniendo caudal, enviar a sus hijos por el mes de diciembre[117] desnudos a vagar los lugares de la Europa. Confiésese vuestra merced pobre de manías, y que no supo mientras vivió más que hacer un pronóstico machacón. La metáfora es un galán vestido de la obra; y aunque sea malo el que yo le he puesto a mis papeles, ya es vestido. Los suyos, todos los hemos visto en cueros. Y más decente está un cuerpo en camisa que desnudo.

Para hacer lo que todos, no hubiera yo salido a la plaza del mundo, porque estoy muy mal con los escritores de este mi siglo; pues no inventan, que trasladan. Yo advertí que nadie leía los pronósticos, porque se cansaron de un príncipe de

---

[113] *S2: Filo-Astrólogo.*
[114] Los términos *pronóstico*, *almanaque* y *piscator* se usaban indistintamente. Es cierta la ausencia de noticias sobre Sarrabal (incluso en las fuentes italianas).
[115] *zaquizamí*: 'desván'; y también 'cuartucho sucio e incómodo'.
[116] *P* deja truncado el refrán: *entre ruin ganado*, etc.
[117] A finales de otoño salían a la venta los almanaques del año siguiente.

Aries, *ut quidam*[118], un soberano de Géminis, etc. Y púselos en solfa, y he logrado que me lean. Pues, enfastiada la juventud[119] y enferma toda la gente de los juicios de vuestra merced, no podían tragarlos; y yo les puse en punto de golosina los embustes, y los han tragado; que es el mayor milagro de un remedio hacerlo sabroso, para que no le aborrezca quien lo hubiere de tomar.

Como vuestra merced no sabe lo que son coplas, habla mal de ellas. Y debe de pensar que las que hizo el mohoso Gotardo podían parecer con las que hoy hacen estos ingenios. Los poetas de entonces eran unos perdidos despilfarrados; ahora hay en Madrid quien los trae en coche. Y poeta tiene la corte que se ha hecho de oro, y uno conozco yo que ha labrado casa. La indignación de vuestra merced es que mezclo a los santos y santas con las coplas; y esto lo aprendí en buena hora, pues cada vez que se reza se le dicen a Dios versos a prima, tercia, sexta, etc. Y los villancicos tienen admirables coplas para mover a Dios y alabarle, y los salmos son versos que puso al arpa el santo profeta y celestial músico David. Vuestra merced debió de ser casado y no vio el diurno[120], y por eso ahora escribe sin noticias. Yo tengo dos oficios y con ambos me muero de hambre. Y el más decente es el de poeta, que el de astrólogo me ha ganado crédito de embustero. Y este es oficio y no ciencia, pues hoy pagan tributo mis calendarios; y mis coplas, aunque no son nobles, no pechan[121].

Díceme que escribiendo con esta claridad me conciliaré enemigos; yo me alegrara[122] ver escritor sin ellos. Los que salen por su desgracia a la plaza del mundo a venderse, desde que salen van vendidos. ¿Cómo es posible contentar a todos?

---

[118] *ut quidam:* a la letra, 'como alguno o algunos'. Vertido a nuestro lenguaje coloquial actual, equivaldría a 'como [escribe] uno (o alguien) que yo me sé', pues la acusación de incurrir en tópicos fatigosos se dirige en primer lugar contra el propio Sarrabal. *S2-S3* corrigen la errata de *P: un quidam.*

[119] *enfastiada:* hastiada, enfadada. El término era ya entonces desusado, como señala *Aut.*

[120] *diurno:* el libro de rezos que los eclesiásticos debían leer de día (de laudes a completas).

[121] *pechar:* pagar el pecho o tributo al que estaban obligados los que no eran hijosdalgo.

[122] *P: y me alegrara.*

Al melancólico que me lea no seré de su gusto porque escribo chanzas. Y si escribo triste y serio tendré por enemigo al alegre. Y a este número de tristes y alegres añada vuestra merced la infinita copia de envidiosos: verá cómo siempre es mayor el número de los descontentos que el de los apasionados. Yo me he de divertir y pasar con gusto el tiempo que me falta hasta que me llamen de arriba. El que me adula, el que me ofende y el que me engaña, todos me dan motivo de reír, y no más. Conque, supuesto que no hay modo de vivir para agradar a todos, no me quiera vuestra merced tan mentecato que me ande a caza de ingenios para lisonjearlos, que yo he de hacer lo que más me agradare.

Esta voluntad que yo tengo es mía, y no de mi vecino. Las cosas se dividen en proprias y ajenas. De estas cuide otro; de las proprias, yo. Y no tengo cosa más propria ni mía que mi voluntad, conque es razón que yo la mande. Y así, no me quejo de que no me premien mis trabajos, porque esto está en otra mano, y lo que otro me ha de dar no es mío. Ni me entristece que me mande Pedro ni Juan, que esto no es de mi cuenta; ni el que el otro sea descortés, soberbio, avariento, envidioso, bueno o malo. Acciones son de cada uno que con ellas se ofende a sí proprio, no a mí. Corran todos y de mí hagan lo que quisieren[123].

La última prevaricación de su enojo es la última común manía de los vivos. Llaman sátiras a las verdades, y blasfemias huir de las mentiras. Yo no soy satírico, sino incrédulo y duro[124]; que al que no me venga con la demostración en la mano no lo creeré por cuanto me jure, afirme y asegure. El entendimiento le cautivo a la mayor demostración de las demostraciones, que es nuestra Santa Fe. Las demás noticias, unas dudo, pocas creo y en las más nos engañan. Porque Galeno soñó la sangría, me quieren encajar que es buena, cuando veo malos efectos[125]. El que quisiere que le crea sus sueños ha de tomar la paga de mis mentiras. Protesto que jamás tuve en mis chanzas más objeto que el común; y soy tan modesto, que si mi pluma o mi lengua hubiere dictado el menor defec-

---

[123] S2-S3 suprimen todo el párrafo anterior.
[124] P: incrédulo, duro.
[125] S2-S3 omiten Porque Galeno... efectos.

to del prójimo, en las plazas públicas me retractara. Y cualquier individuo que de otro me haya oído decir el menor dicterio contra su justicia, quiero ser tenido por blasfemo mordaz. En lo que vuestra merced me riñe del desenfado del prólogo no tengo escrúpulo, porque hablo de los malos profesores de las ciencias. Y siempre que tenga oportuna ocasión dictaré contra ellos y contra letrados[126] sin el menor remordimiento; antes lo debiera tener de lo que callo.

Últimamente me dice que yerro eclipses y lunas, mas vuestra merced ya no es voto para condenar mis cálculos; porque desde su carnero[127], que es ya en sus últimos entresijos de la tierra, mal puede conocer los movimientos de este medio cielo que nosotros descubrimos. Y si vuestra merced lo asegura sin otra observación que su memoria y lo que llevó sabido desde acá, ya no sirve; porque desde entonces no ha dejado de voltear el cielo y está todo de arriba abajo. Y si vuestra merced volviera a la vida, no la conociera; porque estamos los sublunares[128] de suerte que no nos conoce ya la naturaleza que nos engendró. Y aunque vuestra merced no es tan viejo que no navegase en las tablas alfonsinas[129], estas están ya muy quebrantadas, y nosotros andamos al retortero para ponerlas corrientes para nuestro uso, y no hay operación en ellas (aunque no sea más que para un cuarto) que no nos cueste un millón. La suya de vuestra merced y el modo de hacer la efeméride para el lunario[130], la estimo mucho; pero si no adelanta

---

126 *S2-S3* omiten *y contra letrados*.

127 *carnero:* Aries, el primer signo del Zodíaco.

128 *sublunar,* en la terminología astrológica, era sinónimo de *terrestre*.

129 El uso de las tablas astronómicas alfonsíes elaboradas en 1272, por orden del rey Sabio, de acuerdo con el sistema tolemaico, sobrevivió a los descubrimientos de Copérnico en el XVI e incluso su presencia, muy languideciente ya, se percibe hasta décadas después de que Kepler elaborara sus mucho más ajustadas *Tablas rudolfinas* (1627). Incluso a Torres le resultan inservibles. La Universidad, como se comprueba por sus estatutos y programas, no se había preocupado de modernizar los medios de unos estudios largamente abandonados.Torres, para ganar su cátedra en octubre de 1726, tuvo que comentar un pasaje del *Almagesto* de Tolomeo.

130 *efeméride:* anotación de la situación y aspecto de los planetas, eclipses de sol y luna y otros datos astronómicos. El *lunario* era el calendario, que se hacía por lunas.

otra cosa, esta la tenemos por acá arrimada[131], por demasiadamente traída.

El consejo de que escriba un tomo cada año de las treinta y dos matemáticas lo estimo mucho, si con el aviso me enviara vuestra mortandad diez o doce mil ducados que costará la impresión (que solo dándomelos los gastara; que si yo los tuviera, primero los empleara en agujetas[132] que en escribir boberías). Mas por darle a vuestra merced gusto, protesto tomar este trabajo, aunque después tenga que dar a misas la obra. Y así, si vuestra merced se halla con algún talego[133], o sabe de algún difunto que lo quiera prestar (que algunos se enterraron con vuestra merced), envíemelo, que se lo pagaré cuando de este mundo vaya; y por razón del empréstito partiremos los intereses y le lisonjearé con la dedicatoria.

Señor mío, vuestra merced se consuma como pudiere, que a mí su triste memoria ni sus cartas me quitarán la alegría. Ya sé que he de ser muerto mañana; pero entre tanto déjeme vivir y no me vuelva a enviar papelitos ni cartas, que no gusto de correspondencias con gente del otro mundo.

De esta vida mortal, hoy por nuestra cuenta veinte de mayo de mil setecientos y veinte y cinco.

De vuestra merced cuando Dios quisiere,
El gran Piscator de Salamanca

Señor gran Piscator Sarrabal de Milán

---

[131] *arrimada:* retirada, abandonada.
[132] Es decir, en viajar; *agujetas* se llamaba la paga que había que entregar al postillón.
[133] *talego:* dinero (porque este se guardaba en talegos o bolsas estrechas).

—Paréceme, perdona que te lo advierta —dijo mi huésped—, que le respondes con sobrado desabrimiento, y no es razón tratar mal a un hombre a quien el mundo dio reverendas[134]. Pues, aunque hoy está caído, fue sujeto que puso su piedrecita en las estrellas, y no es justo hacer con su mortandad[135] lo que hace este siglo con lo que derriba: que del inmenso golfo de las adoraciones los baja a los últimos desengaños del desprecio. Morir no es delito, sino ley, y por muerto nadie pierde. Y así, si mi voto vale, hemos de corregir muchas liviandades que sin licencia de tu entendimiento ha dictado tu fantasía[136].

—No, amigo —respondí—. No se ha de quitar una letra; que si uno se hace de miel le comerán los difuntos. Y estos son porfiados, y a cada hora los tendré encima si no los espanto de esta suerte. El señor Sarrabal acuérdese que es muerto y que está con ambos pies en la sepultura, y es menester que se conozca. Él fue un estudiante astrólogo como yo, y hoy es menos; pues aunque los dos convenimos en ser ceniza, yo soy, y su polvo fue. Y lo que fue ya no es. Y pues ya no es, no quiera hacerse gente y meter su cucharada entre los vivos.

—No te mates tú y hágase lo que quisieres, que ya sé de tu capricho lo irreductible que es. Mi proposición fue solo un buen consejo. Ni lo tomas ni lo sabes aprovechar: pues Dios te ayude.

---

[134] *reverendas:* estimación o reverencia hacia alguien por sus cualidades y méritos.
[135] *P: mortandad reverenda,* incurriendo en reiteración que corrigen *S2-S3.*
[136] *P: su fantasía.*

Así me decía mi amigo, mostrándome el gesto desabrido[137]. Y, cogiendo los preceptos astrológicos en la mano, me preguntó:

—Y de estos pliegos, ¿qué dispones?

—Nada —le dije—, porque eso ya lo hemos estudiado por acá y no necesito amontonar papeles.

—Yo lo ignoro, y si me lo permites lo copiaré para estudiarlo —me dijo.

A que yo respondí:

—Arrímalos por ahora hacia ese estante, que tiempo nos queda para pasarlos, y nos falta para leer y dar respuesta a las cartas que se siguen.

---

[137] *S2-S3: el gesto algo avinagrado.*

Carta de Hipócrates
al gran Piscator de Salamanca

Muy señor mío: Un mortezuelo[138] como del codo a la mano, bullicioso, de los que en el mundo llaman chisgarabís, que nadie sabe de dónde es (aunque, por lo chiquito, le tienen todos por hijo de Madrid), este se ha arrimado a la caverna donde nos estamos pudriendo muchos profesores médicos, químicos y filósofos, y le socorremos con algún hueso, como lo habíamos de dar a otro. Nos asiste como platicante de cada profesor[139]. Pues cuando a vuestra merced se le haga camino por estas roturas lo verá con los químicos estarse tostando, sin haber fuerzas humanas que lo saquen del fuego; con los médicos, desentrañar difuntos y rascar calaveras (que hasta en las sepulturas conservan los hombres las manías de vivos).

Este platicante de muertos es tan mañoso que se ha ingeniado y ha hecho una mina comunicable al mundo. Y cuando menos pensamos se aparece allá y se esconde aquí, y no pasa travesura en la vida que no la sepamos puntualmente. Entre[140] las curiosidades que suele recoger, nos trajo el *Pronóstico* de vuestra merced. Y haciendo rancho entre[141] los condi-

---

[138] *S2-S3: muertezuelo.*

[139] *platicante:* «El que practica la medicina o cirugía para tener experiencia, adiestrado o enseñado de algún médico o cirujano experto. Dícese también y con más propiedad *practicante*» *(Aut.).*

[140] *P: Pues entre.*

[141] *S2-S3: con.*

funtos amigos, leyó el platicante hasta el prólogo o consejos que vuestra merced, discretamente, le dio a su hijo[142]. Y aunque por acá nunca estamos para fiestas le aseguro que nos alegró mucho, y ya nos dolían los huesos de risa. Yo, pues, aunque estoy ya muy chocho y no tengo hueso que me quiera bien, y las palabras se me hielan en la boca, con todo eso, me enmuerté[143] y dije a los del rancho, haciendo glosa sobre su prólogo, de esta suerte:

—Digno es de llorar el mundo en que hoy se vive. Y, mal por mal, mejor es nuestra tierra. Cada momento es una ruina. Yo lo dije muchas veces[144]. Y, según este mozo escribe (que aunque la lengua es mala se le conoce que es verdadera), ya no debe de haber trasto con trasto, ni hombre con vida, ni vida con alma. Vuesas mortandades bien se acordarán de los pliegos que hemos leído aquí, en otras ocasiones, de don Francisco de Quevedo, y lo que él nos contó del mundo cuando atravesó por este carnero; pues, según este astrólogo viviente, sin duda está más perdido. Dichosos estos que ni creen a nadie ni a nadie engañan. Estos conocieron la vida, y los más que estamos aquí nos venimos sin probarla. Galeno (que yace también entre nosotros) gastó los años en desollar monas para hacer anatomías con el cuerpo humano, manosear cascos de difuntos[145] para reconocer uniones, suturas y articulaciones, y en bautizar huesos y nombrar coyunturas. Yo lo empleé[146] en mis *Aforismos,* oler orinas, gustar cámaras,

---

[142] *S3: que Vmd.. dio a su hijo.* En el prólogo de *Melodrama astrológica* (el almanaque ya aludido de 1724) Torres se dirige a su propio texto como a un hijo recién nacido, para anticiparle el recorrido que le espera en el mundo y darle consejos.

[143] *enmuerté:* adaptación humorística al mundo de los muertos de algún término como 'avivar', 'incorporar', etc.

[144] *P* añade esta cita: *motus in fine velocior* («el movimiento es más rápido al final»). Acertadamente, *S2-S3* consideran inoportuno en el contexto el alarde cultista y suprimen el latinajo.

[145] *P: finados.*

[146] Se refiere al tiempo. El ya lejano antecedente gramatical de *lo* es «los años». La obra *Aforismos,* mencionada a continuación, es uno de los textos importantes atribuidos a Hipócrates (460-370 a.C.), cuyo conjunto constituye el llamado *Corpus Hippocraticum,* que al parecer acoge escritos de otros médicos de su escuela.

135

sacudir esputos, tocar humores y palpar apostemas. El insigne BernardoTravisano, químico[147], en tragar humo, cocer, calcinar y preparar los entes del embuste filosofal[148]. Y todos nos hemos venido en ayunas, sin saber qué es mundo. Creímos que con haber dicho que el hombre es un mundo abreviado, se acababa toda la ciencia[149]. Diógenes, que está entinajado en este osario (que no me dejará mentir), por gran cosa le dijo al hombre: *Nosce te ipsum*[150]. Y esto lo dijo por los primores de su fábrica, cuando es más estudio saber los defectos de su propensión. La ciencia toda consiste en saber vivir sin que le engañen las pasiones propias y las ajenas. El aplicado debe estudiar primero en los libros de su razón y después seguir las huellas de todos: el camino del médico, la senda del filósofo,

---

[147] Ciertamente, la bibliografía científica de Torres no estaba por entonces muy a la última. Bernardo Travisano (al que menciona en *El ermitaño y Torres* como «conde Bernardo Travisino») es Bernardino Trevisano (1507-1583), profesor en Padua de filosofía y luego de medicina. La obra que Torres tiene *in mente*, aunque no la cite, es *De chimico miraculo quod lapidem philosophicum apellant* (Basilea, 1583). Conviene recordar que la química no acaba de independizarse científicamente de la alquimia (ni la astronomía de la astrología) precisamente hasta el triunfo de los planteamientos modernos a lo largo del XVIII.

[148] *S2-S3: filosófico*. El adjetivo es más fiel al título del libro de Trevisano, pero no refleja bien la directa alusión al campo de la alquimia.

[149] Alusión a la concepción analógica o filosofía organicista: el hombre es un universo resumido, un microcosmos que reproduce el macrocosmos y se armoniza con él. Francisco Rico [1970, reed. 1986] rastreó el proceso histórico de esta idea, que va decantándose desde las primeras fuentes de la filosofía helénica, y su intensa presencia en nuestra cultura. Para su profunda penetración en el XVIII puede verse también Horacio Capel [1980].

[150] Ciertamente, Sócrates no tenía la exclusiva de la famosa frase del oráculo de Apolo grabada en el templo de Delfos, y cualquiera tuvo el derecho a usarla. No es seguro a cuál de los varios Diógenes históricos se refiere Torres. Lo más probable es que se trate de Diógenes el Cínico (413-327 a. C.), el más famoso en la tradición cultural y por tanto el más presente en los vademécum culturales y poliánteas, con anécdotas y frases atribuidas, de las que se recuerda no precisamente la de «Conócete a ti mismo», sino aquella de «Busco un hombre». Pero no es imposible, dadas las referencias culturales en que nos movemos, que se tratara (confundiéndolos o no con el Diógenes anterior) de Diógenes de Babilonia (siglo II a. C.), cuyas ideas acerca de la adivinación astrológica y por medio de los sueños recogió Cicerón en su tratado *Sobre la adivinación*, o incluso de Diógenes Laercio, recopilador de anécdotas y citas filosóficas en *Vidas y sentencias de los más ilustres filósofos*.

el vuelo del teólogo, la carretera de la plata del letrado[151], los rincones del químico y los escondites del mecánico. El que es docto en una profesión es necio en todo; porque cebarse en apurar lo infinito es bobería e ignorarlo todo es desgracia. Yo me lastimaba, cuando vivía, de la sencillez de los enfermos que cuidaba[152], pues a pesar de sus achaques creían mis voces. Y puedo jurar que no conocí la más leve idea de calentura hasta que vi la enfermedad en el estado (y entonces el mismo paciente la conoce); y para desvanecer la primera relación, buscaba mi filosofía escapatorias y evasiones con que disminuir el primer concepto. Pero, aunque me libraba de sus réplicas, no me escapé de las acusaciones del interior. Y así, desengáñense vuestras mercedes[153], que el saber es lo que hace este muchacho del prólogo: encargarse de los elementos de todas las facultades. Estudiando después[154] en su razón natural, se bandeará e instruirá en todas las profesiones, averiguando el modo con que todos mentimos y pasamos. Y Dios nos libre de un bribón de estos; que si da tras nosotros, no nos dejará hueso sano.

Estas razones dije yo a mis concolegas difuntos con tanta verdad como si me estuviera muriendo. Pero, de vuestra merced a mí, señor Piscator, le diré lo que verdaderamente siento, permitiéndome antes que le riña la mala elección que ha tenido de aplicar sus talentos. La elección de muchos libros es dañosísima lección. Los que han escrito y llenado las imprentas de papel fueron hombres como vuestra merced y no es razón creérselo todo, pues pocos dictaron verdades puras con el deseo de nuestro aprovechamiento. Unos escribieron por ostentar su melancólica discreción; otros por contentar[155] las vanidades del ingenio; unos por envidia de los otros y otros por

---

[151] Seguramente se refiere a la conocida Vía o Calzada de la Plata, de origen romano, que pasando por Salamanca enlazaba Mérida y Astorga. Ello le permite el juego satírico alusivo al carácter venal de muchos letrados.

[152] S2-S3 omiten de la sencillez.

[153] P: vuestras mortandades. Parece acertado por parte de S2-S3 evitar la desafortunada repetición del chiste, ya utilizado al comienzo de este discurso.

[154] S2-S3: ... facultades, y estudiando después.

[155] P: sacudir.

seguir las contrariedades de su condición[156]. Y así, en la ciencia que yo profesé[157], como en las demás, se advierten lastimosamente barajados los principios, conque la razón natural del viviente se halla precisada a no saber elegir entre el vasto y anchuroso mar de opiniones. Por lo que debo aconsejar a vuestra merced que, si leyó los principales sistemas, no lea las porfías de sus comentadores. Estudie en sí mismo, que en el entendimiento humano está sembrada la semilla de todas las ciencias, y para que esta se aumente basta el primer baño elementar[158]; pues con el infructuoso riego de otras aguas más se sofoca que florece.

Mi queja con vuestra merced, señor astrólogo, es haber visto el desprecio con que trata y carga la mano a los pobres médicos, además de la común desdicha que padecen en el mundo. Los astrólogos los tienen por misteriosos retirados; a los jurisconsultos los venera la ignorancia como oráculos, a los filósofos como embelesados. Y unos de medrosos y otros de suspendidos se imaginan ocultos misterios en sus expresiones[159]. La infeliz arte de Apolo[160] continuadamente vive entre sus enemigos, pues no hay necio ni vieja ni perdulario que no se precie de entender nuestros aforismos, y no hay ente en la naturaleza que no se aplique para universal remedio en los achaques.

La poca obediencia del enfermo y la pertinaz falencia del arte[161] son poderosos enemigos de nuestras seguridades. Yo lo confesé por la ciencia, al principio de mis obras, en las cuatro palabras de *ars longa, vita brevis, occasio praeceps, experimentum pericolosum, judicium difficile*[162]. Y además de la brevedad de la

---

[156] *S2-S3* sustituyen *condición* por *condenación* y omiten *unos por envidia de los otros*. En *P* hay un añadido que *S2-S3* suprimen: *y todos trabajaron los elementales sistemas de los estudios*.

[157] En *P* falta *ciencia*.

[158] La forma arcaica *elementar* aparece en las tres ediciones.

[159] *S2-S3* sustituyen *y unos de medrosos... expresiones* por *y rara vez se sujetan al examen*.

[160] Es decir, la Medicina.

[161] *falencia del arte*: la inseguridad o falibilidad de la ciencia (médica, en este caso).

[162] «La ciencia es extensa, la vida breve, la ocasión repentina, el experimento arriesgado, el diagnóstico difícil».

vida y del poco juicio de nuestras conjeturas, nunca conocemos las impenetrables magias ocultas de la naturaleza, sus extensiones y movimientos que siempre circulan al revés de lo que discurre el arte[163]. Y, en fin, nuestra mayor desdicha es ir a curar y dar salud al hombre enfermo, que nació achacoso y con la inevitable pensión del morir. Y nada me confundía, en los enfermos que cuidaba, tanto como la diversidad de movimientos en una misma idea de achaque. Que un tabardillo no se parezca al dolor de costado, que una terciana se distinga de la cuartana[164] y un reumatismo de la cangrena, pase; pero que un dolor de costado no sea como otro, ni un tabardillo como otro tabardillo, ni un cólico como otro cólico, es lo que me hizo perder el norte de los juicios. Y esta fue[165] la causa de haber llenado yo estos osarios de cadáveres. Pues hasta que me desengañaron las experiencias tenía creído que un hombre no se distinguía de otro hombre, regulando por su fábrica sus temperamentos; y con un simple invento quise sanar a todos (que es lo mismo que intentar que se calce con una horma todo un pueblo). Y hoy, por ser mayor el estudio, es más grande la ignorancia de los profesores; pues cada momento estamos recibiendo difuntos enviados más por los médicos que por sus achaques.

Los enfermos es la peor especie de contrarios que tienen nuestros juicios, pues no se oyen más que falsedades en sus bocas; y su condición, agitada de las dolencias[166], se hace irreducible al precepto. Si los mandaba beber a una hora, su sed adelantaba los relojes[167]. Si prevenía guardar el sudor, por no padecer las congojas del cordial y el peso de una sábana desabrigaban los cuerpos. Y siempre encontraba nuevo achaque a que acudir. Los ascos del purgante, por amargos los desprecian; al jarabe, por empalagoso. Conque tiene contra sí la curación la poca verdad del enfermo, lo oculto del mal, la escondida condición del achaque, las burlas de la naturaleza, la

---

[163] *S2-S3* sustituyen *el arte* por *el hombre*. Sutil indicio de que en 1743 había aumentado la confianza de Torres en la ciencia.

[164] *S2-S3: calentura.*

[165] *S2-S3: Esta fue.*

[166] *P: de las dolencias del mal.*

[167] *P: una hora adelantaba...*

ninguna obediencia al físico. Añada vuestra merced a estas partidas la de *ars longa, vita brevis,* etcétera: conocerá que los mayores defectos de la profesión consisten más en las temeridades ajenas que en la idea del juicio propio (discurriendo con elementales principios). Por lo que puedo asegurar a vuestra merced que estos podrideros están manando en difuntos, y a los más los han traído sus mismas intemperancias. Y así se vienen unos[168], dejando desacreditado el físico; otros nos envían ellos, y son bastantes; a otros los llama Dios, y estos son menos; y a otros[169] los arroja la vida, cansada ya de la larga cárcel de la tierra, y estos son muy contados; y el mayor número nos lo envía el exceso y la medicina, pues verdaderamente debo confesar que nuestro estudio está fundado[170] solo en los antojos del capricho y en el movimiento del humor.

La arte es larga, como tengo dicho a vuestra merced; y aun a mí, siendo viejo (como lo dejé dicho antes de morir), me faltó el tiempo para experimentar. Y si yo volviera a agarrar la vida, solo la gastara en la práctica útil de la cabecera y borrara impertinentes filosofías. Pues sin tanto argüir se puede conservar menos enferma nuestra vida. Yo aborrecí lo empírico, pero hoy conozco que es fortuna del enfermo y casualidad feliz del médico que, guiado solo del dolor, sin formalizar sobre la materia pecante[171], aplique experimentado remedio; que para el fin de la sanidad basta saber su provecho sin controvertir el modo de causarlo ni en qué parte, pues la experiencia la registra el tacto de los ojos, y la enfermedad es un discurso que, puesto en historia, mueve mayores dudas. A cuyo fin remito a vuestra merced esa farmacopea para los cosarios males que nos afligen[172] —y tengo tanta seguridad en ella, que si volviera a curar no usara más botica que esos simples—, en cambio de la noticia, que espero de vuestra mer-

---

[168] *P: ellos.*

[169] *S2-S3: y otros.*

[170] *S2-S3: está situado.* Una vez más, el cambio de matiz es importante.

[171] *pecante:* «Por lo común se aplica en la Medicina al humor que predomina en las enfermedades» *(Aut.).*

[172] *cosarios:* aquí, 'acostumbrados', 'habituales'.

ced, en que me cuente el estado y pasos con que caminan hoy mis sucesores.

Vuestra merced procure, ya que es escritor (de que me lastimo bastante), dos cosas. La primera, hablar la verdad y con sencillez cristiana en su doctrina. Y la segunda, que le encargo para su bien, que modere el estilo y no quiera por gracioso echar a perder lo sólido de sus pensamientos. Porque si le huelen el humor reirán el chiste y despreciarán el aviso; pues los más hombres son poco advertidos. Y como tienen paladar para todo, comen el gracejo y se quedan en ayunas del fin con que se pone. Y la vanidad de vuestra merced ha de mirar a aprovecharlos y no a entretenerlos. Y si dicta como hasta aquí, más se hará risible que apreciable. Y es pecaminoso empleo dictar juguetes para el siglo, cuando puede adelantar verdades a la posteridad.

Dios le dé a vuestra merced la vida que no tengo y le mantenga lo que fuese servido, aunque yo me prive del gusto de conocerle por algunos instantes.

De la oscuridad de mi eterna noche.

De vuestra merced servicial amigo,

Hipócrates.

Señor Piscator de Salamanca

—Este fue el varón insigne de la esfera. Y hombres de este tamaño merecían ser inmortales entre las gentes. ¡Con qué verdad escribe! ¡Con qué sencillez confiesa las flacas fuerzas de su estudio! ¡Con qué humildad sabe! ¡Con qué cariño enseña! Me admira que un gentil sea maestro de tanto don. Esto es hablar con madurez del seso y no garlar con bachillerías del pico, como tú has hecho en esta respuesta que acabo de escribir al Sarrabal. Amigo mío, este es el estilo, esto es hablar con la cabeza y no con la boca del estómago, como yo he notado en tus escritos[173].

Así me decía mi camarada, admirado del talento y bellísima expresión del sabio Hipócrates en su nota. A que yo le respondí:

—Ninguno como tú debiera disculpar en mí estas faltas del estilo y errores de la composición. Pues la velocidad de mi fantasía, lo travieso de mi inclinación, la corta estancia en mi patria y el odio continuado a la universidad, cuando la empezaba a tener, me traían al retortero la razón[174]. Pues a los catorce años me pusieron mis padres en el Colegio Trilingüe[175], donde aprendí a jugar y a perder desde la ración hasta el tiempo[176],

---

[173] *S2-S3* omiten *Amigo mío... escritos.*

[174] *S2-S3: ... a la universidad, son causas todas que pueden disculpar mi rudeza. Dígalo mi corta vida, pues...*

[175] Consta en los archivos universitarios salmantinos el ingreso de Diego de Torres en diciembre de 1708, y la obtención de una beca tras superar el correspondiente examen. El Colegio Trilingüe, fundado por la propia Universidad en 1511, tenía el rango de colegio menor, y en él se impartían enseñanzas de Latín, Griego y Hebreo, además de Retórica y Lógica.

[176] Los estatutos del centro establecían con precisión la ración diaria que debían recibir los colegiales. En el *Quaderno del gasto por meses del Colegio de Tri-*

que es la joya de más infinita entidad. De allí me arrojó mi fortuna a los peligros de joven, ya de diez y nueve años, sin discurrir en otros cuidados que el de dárselos a mis padres. Llené de vicios al alma, siendo el principal despertador de mi inmodesta aplicación el vano estudio de las musas. Yo perdí, amigo (¡y cómo me pesa!), el tiempo, la crianza, y lo que adquirí de los principios de Antonio de Nebrija a costa del desvelo del siempre laudable maestro mío Don Juan de Dios[177]. Ya de veinte y dos años me alicionó las *Súmulas* de Bayona[178] un santo joven que en Salamanca profesaba a este tiempo la docta medicina, llamado Don José Echeverria, que hoy, mudado este nombre en Fray Valeriano de Estella, vive ejemplo de religión en la Sagrada de Capuchinos del Real Sitio del Pardo. (Perdona la digresión, aunque yo sé que es del caso)[179]. Considera, con este relajamiento de vida, cómo podré yo tener fundamental conocimiento de la facultad menos extensa, cuando cualquiera pide continuada la atención y libertad de otros empleos. Dos años ha que vivo con alguna quietud; y estos los he empleado en leer los elementos de las ciencias y no he cuidado de castigar el estilo. Gusté con algún cuidado las travesuras de la filosofía y, guiado de su noticia, leí los autores médicos. Y apenas vi[180] del divino Hipócrates en la primera línea de sus obras aquellas palabras de *ars longa, vita brevis*, etc., que debieran estar esculpidas en oro en todos los estudios, me suspendieron de suerte que con razón creí los elogios de divino con que le aclaman los varones más doctos del orbe. En S. Agustín, en el lib. 5 de *Civit. Dei*, leí (y guardé

---

lingüe constan, de 1709 a 1713, repetidos descuentos de ración efectuados al joven Diego. La mayoría por ausencias, aunque a veces se adivina el castigo (Mercadier, 1981: 30).

[177] Antes de ingresar en el Trilingüe, Diego había hecho sus primeros estudios en el pupilaje de Juan González de Dios, al que siempre recordó con afecto, como se comprueba al comienzo del Trozo segundo de *Vida*. Su maestro fue regente de la cátedra de Gramática de 1703 a 1726, y catedrático desde ese año (el mismo en que Torres ganó la suya). Se jubiló en 1748 y murió en 1761.

[178] *súmulas*: compendio elemental de los principios de la Lógica. El tratadista aludido no pasó a la historia de la Filosofía.

[179] S2-S3 omiten el paréntesis.

[180] S2-S3: *Apenas vi*.

en la memoria) este elogio a Hipócrates: *Medicum nobilissimum creavit Deus Hippocratem tamquam virum in arte medica minime errantem*[181]. Por las calles y plazas públicas le voceaban los gentiles divino, rogando a Júpiter por su vida y siguiéndolo como a remediador: *Hic sanitatis pater, hic servator, hic dolorum curator, hic divinae scientiae particeps, o Jupiter servato, adjuvato, medicato*[182]. SantoTomás de Villanueva y otros santos y varones ilustrados en la ciencia de nuestra sagrada religión, que hacen más fe, lo llaman divino y se admiran cómo tuvo tiempo de saber tanto, y con razón decían que tenía cuasi divino influjo en su talento. Y míralo ajado, y vendido de los médicos de este siglo.

—He reparado —dijo mi camarada— que después que dejaste aquellas travesuras, que son enemigas mortales de la quietud de las ciencias, aunque tu principal profesión a que te arrastró el mercurio fue la matemática[183], la lección principal ha sido en los libros médicos, y con especial cuidado en Hipócrates, cuando yo entendía que no podían tener hermandad las verdades de la matesis[184] con las quimeras de la medicina.

—Es cierto —respondí yo— que entre las ciencias todas hay una afinidad y concatenación en que precisamente están eslabonadas. Y donde más reconocemos este parentesco es en los juicios de la astrología y de la medicina; pues el buen astrólogo, conocida la alteración de los elementos, debe prevenir los achaques que originan sus destemplanzas, y el buen médico está precisado a inferir las ideas de achaques que la di-

---

[181] «Dios hizo a Hipócrates un médico famosísimo, como hombre muy certero en la ciencia médica».

[182] «¡Este es el padre de la salud, este el cuidador, este el remediador de los dolores, este el partícipe de la sabiduría divina; oh Júpiter del atendido, del auxiliado, del curado!». El texto que manejó Torres no debía ser muy fiable. En las ediciones canónicas de S. Agustín, la cita no aparece textualmente en el lugar señalado, aunque es cierto que allí el autor adjudica a Hipócrates el adjetivo de *nobilissimus* cuando se refiere a él.

[183] *mercurio:* tiene aquí el sentido (no recogido por los diccionarios) de 'predisposición, inclinación'.

[184] Torres se adorna ahora con un cultismo inmisericorde: *mathesis* significa, tanto en griego como en latín, la acción de aprender (o estudio) y su efecto (el conocimiento). A veces se usó también con la acepción de *Astrología*.

versa mutación de los tiempos impresiona en los vivientes. Y los preceptos para la verdadera ciencia de las enfermedades que provienen de las estaciones del año, ningún médico ni astrólogo los trató con la verdad y cuidado que Hipócrates en el libro de sus *Aforismos*, 3, que empieza: *Repentinae temporum mutationes*, etc.[185] y prosigue discurriendo, por los cuartos del año y estaciones del sol en los signos, los varios movimientos de su impresión en estos cuerpos sublunares. Y así las enfermedades en la primavera son de distinta malicia que las del estío, y las de este que las del otoño; luego los médicos debieran saber y entender los preceptos astrológicos, cuando su maestro Hipócrates, en el referido *Libro 3*, les manda y encarga la inevitable observación de las estaciones del año.

—Pues estas, sin la doctrina de la astronomía, ¿no se podrán alcanzar? —dijo el amigo[186].

—Es tan preciso —respondí yo—, que no hay autor médico que en sus prólogos no les advierta esta necesidad, condenándolos a pecado mortal si, ignorando los avisos de esta ciencia, se entran en la práctica de la curación, pues siempre van aventuradas las medicinas en quien ignora el tiempo de aplicarlas; y toda la victoria del físico consiste en lograr el tiempo de la aplicación. Pero, dejando esta doctrina, permíteme que mientras vuelves a recrearte en la carta de Hipócrates que tanto gusto te ha dado, lea yo sus avisos, que según discurro serán prácticos y dictados con la brevedad que acostumbra.

Volvió mi amigo a tomar la carta de Hipócrates y a explicar en ella mil demostraciones de gozo. Y acabando él de su tarea y yo de leer los concisos preceptos prácticos de Hipócrates, le dije que los colocase junto a los preceptos astrológicos del Sarrabal, que después de desocupado de este correo los leeríamos con más atención de la que ahora nos permitía la precisa tarea de responder. Y, obedeciendo mi amigo y cortando la pluma, respondí como se sigue al divino Hipócrates.

---

[185] La referencia bibliográfica es exacta. La Sección tercera de *Aforismos* trata de los efectos morbosos de los cambios de estación y las alteraciones bruscas de las temperaturas, de las edades de las personas, etc.

[186] *dijo el amigo* falta en *P*.

Respuesta del gran Piscator de Salamanca al físico-médico Hipócrates

Solo a la discreción de vuestra defuntez, muy señor muerto, debe mi torpeza el gusto de haber salido de la confusión de una duda en que los demás muertos me dejaron (que no solo vuestra merced es quien me escribe). Y debo a la luz de vuestra merced la noticia de haberme alumbrado para que sepa la mina por donde se coló el tizón licenciado que fue posta de estas cartas; pues por donde entra un diablo, bien cabe otro. Y le doy las gracias de que recojan a ese muertecillo (que no dudo, según la pinta, que será hijo de la corte), y que le hagan la caridad de enseñarlo y mantenerlo; aunque creo que no será hombre jamás, pero al lado de vuestras mortandades podrá elegir una muerte descansada.

De las honras que vuestra defuntez me ha hecho entre sus confinados, le doy muchas gracias[187]. Pero hablando con amistad, amigo mío, yo soy solamente un curioso que paso con la enfermedad de cuatro noticias que me tienen estragado el talento; porque estas están sin cocer[188], y de estas crudezas padece el seso continuas opilaciones.

Cuando empezaba a alimentarme en mis estudios, me quitó el dulce regalo de la sazón la infeliz fortuna que siempre me ha traído al retortero, poniéndome el pisto en manos ajenas. Una desgracia en los pobres sudores de mis padres cortó

---

[187] *P: Vuestra defuntez me honra en vida con todos entre sus condifuntos.*
[188] *P: unas están sin cocer el fundamento impuro.*

146

las ideas con que intentaban criarnos como a hijos de honrados[189]. Después mis vicios, mi pobreza, mi genio, los malos amigos y los buenos enemigos me pusieron en el infeliz estado de tonto. Apresóme la hambre e hice de ella virtud, y con el ansia de comer me apliqué a la primera vacante, como al pobre a quien casa[190] la justicia con mujer sin dote, y sin tener oficio, que luego pretende comisiones, se aplica a los estancos, se pone a peón, alguacil, agente, etc. Que el pobre que tiene familia busca el pan en la primera plaza que le sale; que la misericordia de Dios y providencia de los hombres tiene en el mundo estos colegios para los arrepentidos de holgazanes; que la necesidad hace hábil para todo al que antes no lo fue para nada, y se halla oficial en cualquiera arte. Así yo unas veces pretendía en la medicina, otras en las leyes. Echaba memoriales al cielo, y por su bondad me hallé la conveniencia de astrólogo; que, aunque no vale mucho, al fin, amigo, iba cogiendo créditos, y con mis manos libres había de subir hasta quinientos ducados. Pero ya me la ha quitado mi desdicha[191], cumpliendo, como sabe todo mundo, con mi obligación. Y ya no sé[192] qué hacerme, que estoy tan aburrido que si por allá hubiese algún empleo en que pasar la vida, le aseguro a vuestra mortandad que marchara.

No niego que eché a la calle algunas ideas mal vestidas; pero como trabajaba con precisión[193], las miraba con asco, sin valerles la recomendación de propias; que si yo tuviera otra capellanía, sujetara la pluma a la razón y no saliera de mi fantasía idea que no la castigase el entendimiento antes que vocería de los críticos. Pero yo, amigo[194], solo voy a llenar papel;

---

[189] El padre de Torres tuvo que liquidar su librería en los tiempos difíciles de la Guerra de Sucesión. El autor recuerda cómo, al volver a casa tras concluir sus estudios en el Colegio Trilingüe, leía «por engañar al tiempo y entretener la opresión, tal cual librillo de los que por inútiles se habían quedado del remate y desbarato de la tienda de mis padres» *(Vida,* 104).

[190] *P: a quien le casa.*

[191] Se refiere a «la conveniencia de astrólogo». De nuevo Torres respira por la herida: la renovada denegación de permiso para seguir publicando sus almanaques.

[192] *S2-S3: Ya no sé.*

[193] *con precisión:* por necesidad.

[194] *S2-S3: Yo, amigo.*

y así, aunque mi prólogo contenga algunas menos decentes voces contra los profesores de Apolo[195], vuestra merced debe disimularlas, por la ingenuidad con que le digo que no son más que voces.

La escasa luz que de sus obras de vuestra merced iluminó la corta esfera de mi capacidad fue el estímulo que me movió a clamar contra los profesores médicos. Porque en la práctica que hoy veo observar (la casualidad me llevó a algunas juntas)[196] es distinta de lo que vuestra merced dejó dicho. Ya debemos enfermar de otra suerte, porque las curaciones son distintas[197]. Hasta los trajes han mudado los médicos, pues en otro tiempo vestían ropas que les determinaron las escuelas y ahora se arman de soldados, con cabelleras, tacones y espadas; y no los tiene el rey mejores. Pues si entre tantos arbitrios hubiera dispuesto la política[198] enviarlos a los enemigos, allí apocarían el número de las gentes, y acá nos quedarían nuestros vivos menos enfermos[199].

Los hombres que nacieron de treinta años a esta parte son de otra figura. Ya las anatomías no se hacen como en el siglo de Galeno. Ya no es el hombre, ni su figura. Los males no son los que solían, todo está mudado. Porque los humores se han revenido en *ácido, alkali, sólido* y *líquido*[200]. Y en las fiebres se ha descubierto otra cosita, que se llama *crispatura*. Vuestra mortandad cuidaría de dos o tres enfermos al día; pero acá los despachan con más brevedad. Tienen tantos a que acudir que, por no bastarles sus dos pies a cada médico, los aprendices empiezan por cuatro y los más introducidos llevan ocho,

---

[195] *profesores de Apolo:* los médicos.

[196] *P: observada* en lugar de *observar. S2-S3* suprimen el paréntesis, en el que Torres se muestra muy humilde. En realidad en Madrid reanudó estudios de medicina ligeramente iniciados años antes, y visitó durante un mes el Hospital General bajo el magisterio del protomédico D. Agustín González (véase Introducción). El pasaje que sigue testimonia algunas de las novedades observadas en ese aprendizaje, y la persistencia de viejos defectos.

[197] *S2-S3* sustituyen *de otra suerte* por *de otro modo* y *distintas* por *diferentes.*

[198] *P: la política razón de Estado.*

[199] *P: nuestros vivos.*

[200] La terminología revela la penetración de la medicina espagírica o iatroquímica (Torres precisa la cronología: «de treinta años a esta parte»). *Aut.* define así *alkali:* «Término espagírico, que se toma por el principio universal salino de todas las cosas naturales, opuesto al ácido.»

y van rodando a carrera tendida por su doblón (que esto cuesta regularmente en la corte), a tentar un pulso y dar una pesadumbre más al paciente.

En las juntas todavía se usa historiar la dolencia, las causas, signos, pronósticos y curación. En la historia todos callan, como toca al médico de la cabecera. Las causas se ignoran, los signos se disputan, los pronósticos se atropellan y la curación se pierde; y cuando mejor logramos es haber visto en cuestión nuestra vida. Las que llaman señales son chismes y cuentecillos de la naturaleza, y testimonios que levantan a nuestros órganos. La aplicación del remedio va destinada, cuando son tan disputables los motivos, para una vida sola que malogramos (¡Válgame Dios!), cercada de tantas muertes[201]. En la vocería médica ya no se escuchan *facultades, humores, meatos,* sino el *sólido,* el *ácido,* el *sulfur*[202] y otros términos que a vuestra merced se le quedaron en el tintero. Yo no quiero acusarlos; pero vuestra merced no los defienda tanto, que ellos, por su Arbeo y su Tomás Wilis y otros[203], han vendido a vuestra merced de suerte que, si no es el que le conozca, nadie le comprará. Y allá tiene vuestra merced otro licenciado que se llamó Synapio, que escribió contra vuestra merced un tomo que se intitula *De vanitate et falsitate aphorismorum Hippocratis*[204].

---

[201] *S2-S3* omiten *para una vida... tantas muertes,* pero la corrección no resuelve del todo la confusión.

[202] *sulfur:* en latín, 'azufre'.

[203] Arbeo solo puede ser William Harvey (1578-1657), médico inglés que completó el descubrimiento y demostró los mecanismos del sistema de circulación de la sangre *(Exercitatio anatomica de motu cordis et sanguinis in animalibus,* 1628), e hizo importantes aportaciones a la embriología *(Exercitationes de generatione animalium,* 1651). Discípulo del anterior fue Thomas Willis (1621-1675), que centró sus estudios principalmente en el sistema nervioso *(Cerebri anatome, cui accessit nervorum descriptio et usus,* 1664). Ambos eran precedentes reconocidos de la «nueva medicina».

[204] El auge espectacular de las doctrinas hipocráticas en el ambiente científico del humanismo renovador y crítico del XVI, siglo en el que se documentan innumerables ediciones europeas, traducciones y comentarios [véase T. Santander Rodríguez, *Hipócrates en España (Siglo XVI),* Madrid, 1971], cesa prácticamente por completo en el siglo XVII, al que pertenece la impugnación doctrinal, citada por Torres, de M. A. Sinapius. La obra de este autor que dejó mayor presencia en las bibliotecas universitarias fue un tratado sobre el dolor *(Tractatus de remedio doloris,* 1699).

Solo en una cosa siguen a vuestra merced, y es en que no los mandan confesar para morir. Los que vuestra merced curaba no lo habían menester, pero a nosotros, que vamos por otro camino, nos niegan entrar con felicidad al perdurable término a que aspiramos. De irremediables motivos nace en ellos esta ocultación. El primero es la ignorancia del mal; el segundo, la vanidad de libertarlos; el tercero, la mal usada adulación; y otros muchos que vuestra merced podrá discurrir sin cansarme yo, ni mortificarle.

Vuestra merced les mandó en sus aforismos la precisa observación de los días críticos, indicativos e intercidentes[205] en las enfermedades agudas y exacte peragudas[206], y que tuviesen gran cuidado con las estaciones del sol y movimientos de la luna, porque estos conocidos planetas son los primeros agentes que disponen más inmediatos al aire[207]. Pues señor muerto: ahora, cuando se sospecha peligro en los influjos de la luna, se cierra la ventana porque no entren, que dicen que el pino y el lodo defienden las impresiones. Las cuartas del año todas son unas; el calor del estío se hace verano cuando se les antoja; ya no pasan días críticos, porque usamos enfermar en mejor ocasión que los enfermos que vuestra merced tuvo. Ya padecemos unos males más acomodados. Los enfermos de Pedro Miguel de Heredia[208] ya murieron, los de Galeno ya están hechos tierra y los de Avicena son polvo. Y en fin, ya de vuestras mercedes no se hace el menor aprecio. Y aun dicen estos médicos de por acá que si el señor Hipócrates viniera al mundo, había menester de nuevo estudiar la Medicina.

Esta su profesión de vuestra merced, como le tengo dicho, ya ninguno la profesa como empleo, sino como negocio. Es facultad que siempre tuvo sus intereses en nuestras glotonerías, y

---

[205] *P: yudicativos, intercidentes.*

[206] La terminología médica procedente de los tratados en latín que Torres leyó pasa casi directamente al texto; *intercidentes:* intermedios (del lat. *intercido,* 'caer en medio', 'separar con un corte'); *peragudas:* muy agudas o graves.

[207] Sigo a *S2-S3* en la supresión de este añadido de *P: y éste, mezclado con los influjos, se hace la impresión en los sublunares.*

[208] Pedro Miguel de Heredia (1590-1659) fue profesor en la Universidad de Alcalá y médico de Felipe IV. Dejó abundantes escritos que se publicaron tras su muerte *(Operum medicorum quatuor Volumina,* Leyden, 1665).

como en cajas seguras aplican su caudal, y se hallan a pocos días curanderos de fama. A la juventud la crían en las Universidades en las porfías *Si Dios puede hacer entes de razón; Si la Lógica es simple cualidad...* Considere vuestra merced qué tiene que ver el pulso con el... etcétera[209]. En las anatomías no tienen ejercicio, porque sienten de muerte los recién difuntos que se les corte el pellejo, y lo han hecho caso de honra; conque ya no se puede pillar un muerto por el ojo de la cara. Y estos tratados, en nuestra España dicen que no son menester, porque han averiguado que las circulaciones de la sangre de un año no sirven para otro. Los huesos cartilágines[210], tendones, músculos y fibras tienen por un mes una figura, y cada día menguan y crecen, conque no quieren cansarse en fatigar la memoria en estudio que muda sistemas conforme las edades. Los años que profesan en las Universidades, les dictan sus maestros cuatro materias de pulsos, orinas, síntomas y algo *de sanitate tuenda*[211], con un recetario o farmacopea al fin para guiñar el ojo al boticario (así como el que vuestra merced me envía). Y sin otro estudio que estas teóricas impertinentes pasan a las cortes, ciudades y villas, a amontonar muertos con licencia de los reyes y consentimiento de nuestras ignorancias[212], obligando la razón de estado a cumplir con las ceremonias de la cortesía a quien hizo cubrir de tierra a los que nos engendraron.

El último consejo que vuestra merced me da bien sé yo que es muy prudente, serio y como de su gran juicio. Pero si supiera cómo está el mundo, no me aconsejara con tanta modestia. Se pierde, amigo Hipócrates, la lección que no contiene estas risas, y a todos nos tiene cuenta. A mí, porque en este estilo no son tan reparados[213] los defectos, porque permite vo-

---

[209] No me atrevo a completar el refrán. El antiescolasticismo (por convicción y por reacción visceral contra sus poderosos representantes oficiales) fue una de las constantes intelectuales de Torres desde sus primeros escritos. Véase Introducción.

[210] *cartilágines:* cartílagos o ternillas.

[211] *de sanitate tuenda:* sobre la conservación de la salud, o medicina preventiva.

[212] Sigo a *S2-S3* en la omisión de este añadido de *P: pues fiada la sencillez de la noticia, nos entregamos al destino de sus temerarias ideas.*

[213] *P: reparables.*

ces menos limadas la composición; y para las gentes del mundo en que estamos, es preciso escribirles así, que de otra suerte no lo miran. Conque para todos nos está bien, pues yo escribo sin fatiga y ellos leen sin asco.

No se me ofrece otra cosa que responder a vuestra mortandad. Y de nuevo le doy las gracias por el inventario de recetas; que, pues ya me han robado el oficio de pronosticar[214], tomaré el de curandero[215], que bien sé yo que lo luciré —como lo estudie como él es—, a pesar de muchos delirantes.

Dios guarde la inmortalidad de vuestra merced.

De mi posada. Madrid, y mayo 2 de 1725.

De vuestra merced su íntimo apasionado,

El Piscator de Salamanca

Señor Hipócrates mío

---

[214] P: de *Pronóstico*.
[215] *S2-S3: el de la curación.* El Torres de 1743 considera inadecuado y molesto para su *status* el término que no le importó utilizar en 1725.

—¡Válgame Dios! —dijo mi amigo—. ¡Qué bajío han dado las ciencias! De un año para otro se inventa una nueva manía. Yo soy lego, mas mi discurso no deja de inquietarse cuando oigo decir que los médicos, en las Universidades, gastan el tiempo en defender si los elementos existan *formaliter* o *virtualiter* en nuestros mixtos[216]. Poquísimo cuidado tiene nuestra provincia en la limpieza de esta profesión[217]. Vienen infinitos perdularios y vagabundos[218], y sin otro examen que su dicho y nuestra sinceridad (o por mejor decir majadería), ellos curan y nosotros nos damos a sus farmacopeas. Y en cuatro días ruedan coche con los demás.

—¡Oh, amigo mío! ¡Cuántas veces —le dije yo— me pesa no haberme metido a médico en la corte! Que curando con lunas y hierbas como los moros, y con mandar abrir una ventana al tiempo de una sangría, mirar al cielo y decir al barbero a empujones *pica, tapa* y *destapa,* me consultarían oráculo; que gracias a Dios vivimos en un lugar donde todo se cree, y especialmente a embusteros. Yo conocí un ermitaño, en tierra de Plasencia, que después que no lo pudo sufrir el campo se arrojó a los lugares de Castilla. Y, como a mí me enseñó la

---

[216] Nueva alusión burlesca al conceptualismo vacuo de los escolásticos. Como términos filosóficos, ambos adverbios alcanzan un sentido complejo que no es posible precisar aquí: *formaliter* (a la letra, 'formalmente') recibe su sentido del complejo (incluso ateniéndose al campo aristotélico) concepto filosófico de *forma; virtualiter* ('virtualmente') implicaba la referencia a la causa capaz de producir lo enunciado.

[217] *provincia* se llamaba entonces al juzgado competente en delitos y pleitos civiles.

[218] *S2-S3: vagamundos.*

hambre en poco tiempo el oficio de astrólogo, él se puso a médico y empezó a matar sin licencia. De un lugar[219] le arrojaban y de otro se huía, y vino rodando por mil desdichas a la corte, donde nos vimos los dos. Y le conocí pobre, roto y trasijado[220]. Y oí decir al mismo tiempo que había llegado a la corte un hombre milagroso que curaba, *instar incantamenti*[221], hasta las terceras especies de todas enfermedades. Yo, como siempre fui perdido por los hombres aplicados, lo andaba por este, y me lo apareció mi deseo en la casa de un amigo. Y cuando pensó mi ventura hallar a Galeno me encontré con este que te he contado, con cabellera, pliegues en la casaca, espada y bastón, y a la puerta de la calle su silla, cuando le convenía mejor una albarda. Desengañóse el lugar y huyó de él. Pero tan insolente bergante, que constándome a mí que sabía leer mal el romance —y sin la menor práctica ni en una barbería—, hablaba de unos sujetos tan insignes como el Dr. Díaz, el Dr. Suñol y de todos los médicos que se mantienen hoy en la corte[222], como habló de mí Don Jerónimo Ruiz de Benecerta[223].

—¡Válgate Dios por siglo! —dijo mi camarada—. ¿Y esto se contempla, se consiente y no se examina en un lugar como este? ¿Dónde tienen el seso y la razón estos cortesanos? ¿Es posible que crean así a un perdulario vagamundo?[224].

[219] P: *Y de un lugar.*

[220] *trasijado:* muy flaco, con las ijadas hundidas.

[221] *instar incantamenti:* como por encantamiento, por arte de birlibirloque.

[222] De los mencionados, sí ha quedado memoria del Dr. José Suñol y Piñol (n. 1675), que alcanzó bastante poder entre los de su gremio: médico de la Real Cámara con Felipe V, presidente del Protomedicato de Castilla, de la Academia de Medicina de Madrid, etc. Fue autor de algunas obras de Medicina y Botánica.

[223] Es decir, satírica, injusta e irrespetuosamente. Véase nota 22. Sigo aquí la lectura de *S2-S3,* que omiten el defectuoso pasaje que *P* añade a continuación: *por estar tan conocido por estos diablos de pronósticos, y fuera menos mirado con cuatro embustes de mi astrología, y con un recetario como con el que gastaba el roto (que también lo tengo), había de cobrar créditos, y a los dos meses fuera hombre de coche.*

[224] Sigo a *S2-S3. P: a un perdulario que viene desechado? (Porque el que tiene créditos, aunque sea en una aldea infeliz, nunca se viene). ¿Que a éste le llamen y crean que puede saber más que otro que consultó los libros, leyó la profesión y fatigó los talentos en prácticas y teóricas?*

—Pues esto —le dije yo a mi amigo— es muy regular cada día; pues todo es entrar y salir hombres de esta faramalla[225] en todas profesiones.

—Descansemos por Dios un rato, que a mí me sofoca más que el trabajo de escribir saber a la moda que se vive, y cómo está sujeta nuestra vida a sus invenciones y sus engaños. Mas dime, ¿es posible que no tienen su cierto principio en que fundar sus conjeturas?

—Nada —dije yo—. Si tuvieran demostración cierta con que curar una enfermedad, la más leve, no les cupieran los doblones en casa. Es una desdicha y una infelicidad lo corto de la ciencia y lo largo que han tratado al arte[226]. Y así yo cuando enfermo no mando llamar al médico de más fama, sino al primero que pasa por la calle; que los médicos todos son buenos y la medicina es la mala.

Dio mi amigo algunos esperezos, y cogió la carta que se seguía y dijo:

—Lo verdadero es entregarnos en las manos de Dios en todo y por todo, porque los hombres todos somos unos salvajes, vanos, presumidos y engañados de nuestro amor, y desde hoy prometo no creer a nadie.

Leyó la carta de Papiniano, que decía:

---

[225] *faramalla:* charla insincera para engañar a alguien. Y también, lo que es pura apariencia.
[226] *arte:* aquí, 'maña, astucia'.

Carta del gran Papiniano, Jurisconsulto, al gran Piscator de Salamanca

Antes que yo viniese a este entierro, donde para siempre estoy eternizado, se ajustó con un tabardillo[227], para que le trajese a este mundo, un cierto pobrete a quien yo había librado en la vida de la muerte por algunas travesuras que merecían la horca. Y al fin se compuso, y le dimos arbitrio para escaparse del verdugo. A este le previne que me barriese la tierra y mullese los huesos, que siempre fui muy acomodado. Pero ya estoy tan hecho a la dureza de estos jaspes, que no siento la más leve desazón. Sírveme este mozo como adecán[228]. Porque, como vuestra merced sabe muy bien, señor astrólogo, no puede un doctor de leyes pasar sin un ministril que atisbe los vivos y los muertos[229]; porque nosotros (aunque no sepamos nada) debemos estar en todo.

Salió una noche, con otros arrimados, de ronda el tal jaque[230] a visitar los calavernarios, y encontró muchos huesos contra el natural, empinados, escribiendo cartas a vuestra merced. Y, por quitarles lo escrito, se alborotaron unos con

---

[227] *tabardillo:* «Enfermedad peligrosa, que consiste en una fiebre maligna que arroja al exterior unas manchas pequeñas como picaduras de pulga...» *(Aut.).* Se trata del tifus.

[228] *adecán* en las tres ediciones, por *edecán:* ayudante y correveidile. Es uso irónico, pues la acepción más propia del término corresponde al campo militar: 'ayudante de campo'.

[229] *ministril:* empleado o funcionario de justicia de poca categoría.

[230] *jaque:* valentón, perdonavidas.

otros y hubo de haber un día de juicio. Serenó la huesal tormenta lo desentonado de unas voces que salían de la boca de un difunto capa larga y golilla[231], preguntando por la mente de Papiniano. El ministril dejó encendidos los huesos y a medio concluir la pendencia. Y cargando con el recién difunto, le dijo (según me contó):

—La mente de Papiniano está más honda; aquí solo le enseñaremos a vuestra merced algún polvo que quedó de su fábrica.

Así llegó ante mi tierra medio muerto, pues con la prisa de hablarme no se acabó de finar en la vida. Y dando unos gritos que los ponía en el infierno, exclamó:

—¡Papiniano, Papiniano, venganza, venganza contra un astrologuillo que ha injuriado lo famoso de la Jurisprudencia!

Yo entonces le dije:

—¿Trataste tú los preceptos y cánones que te dejé sin glosarlos tu capricho?[232].

Quedóse helado y frío del todo, y tan otro que no lo conocería la tierra que lo parió. Y el pobrete, sin poderme responder, muerto del todo, se nos ha quedado aquí hecho un pegote.

Todas las quejas que contra vuestra merced podía darme este letrado las tenía anticipadas por otros que van y vienen, pasan y se quedan en estas bóvedas, pues no hay instante que no tengamos noticias del mundo (que vuestras mercedes los vivos quizá desearan en tanta distancia de leguas tener tan puntuales los correos). Mas no ha dejado mi justicia de condenar vuestra viveza de ignorante. Pues aunque sea posible que algunos letrados hagan infinitos tuertos de sus derechos, estos los hacen sin ley; que las leyes fundadas en la naturaleza solo mandan lo justo, y su objeto es siempre lo santo y razonable. Los letrados que defienden la malicia y acusan la bondad a fuerza de bachillerías, glosas y distinciones contra

---

[231] *capa larga,* o *de luto:* la que se usaba en los duelos y pésames; *golilla:* adorno —hecho de cartón forrado de tela— que rodeaba el cuello. *Aut.* precisa que «... hoy solo lo conservan los ministros togados, abogados y alguaciles, y alguna gente particular».

[232] *S2-S3* omiten *que te dejé.*

viento y marea, se labran la sinrazón, no se ajustan a la ley; que esta la dicta la buena intención, y aquella el infeliz destino de la tiranía o el interés[233]. Las defensas y acusaciones han hecho oficio voluntario, sin más tasa que su codicia[234]; que los malos profesores suben la ley a medida de su ambición. Un memorial, una defensa, un papel en derecho, a unos les vale cuatro reales y a otros cuatro doblones. Y si este se ha de ajustar a la ley, lo mismo debe darse por el trabajo material al uno que al otro; pues uno y otro debe ir conforme a la ley. Entre[235] lo santo de las leyes, la concisión de voces es la mejor explicación de su inteligencia, que así están sus pandectas, códigos y digestos; que la aguda parola del estilo, la autoridad de citas, los discursos y cavilaciones del informante es mal permitida travesura. Porque la ley debe ir desnuda al tribunal de toda voz que pueda manchar su pureza.

La ley es para todos, y se debe estudiar de modo que la entiendan todos. Y lo contrario, señor mío, será culpable malicia del profesor y no defecto de nuestras escritas tablas. Y si la ley está fundada, es justa o no es justa, a vuestra merced no le toca más que observarla y temerla; que nuestros parágrafos son excomuniones que, justas o injustas, han de ser temidas.

Si no hubiera leyes no tuviera vuestra merced vida, pues ya se la hubiera despachado algún asesino, ni le dejara la codicia capa en el hombro. Las leyes enseñan a vivir honestamente al descompuesto, prestan miedo al facineroso, respeto al desalmado, libran del daño del mal obrar y distribuyen a cada uno lo que es suyo. Lo que en dos versecitos cantó el lírico latino:

Oderunt peccare mali formidine poenae.
Oderunt peccare boni virtutis amore[236].

---

[233] Lectura de *S2-S3*. *P: de la tiranía y la pasión.*

[234] *P: interés.*

[235] *P: Y entre.*

[236] «Evitan delinquir los malos por horror al castigo. Aborrecen los buenos el delito por amor a la virtud». El «lírico latino» es Horacio. La fuente de Torres estaba algo contaminada. El texto original es *Oderunt peccare boni virtutis amore / tu nihil admittes in te formidine poenae* (Epist. 1, 16, 50).

Por ellas reinan los reyes, por ellas se conserva en orden el mundo, y sin ellas todo fuera confusión. Es la justicia un dibujo, que en el lejos de esta esfera se advierte retratada la universal residencia de las almas[237]. Al malo da su castigo, al bueno premio. A todos manda *honeste vivere, alterum non laedere, suum*[238] *cuique tribuere*. Siempre fueron escogidos y llamados al honor de jurisconsultos los hombres de más esclarecida virtud. Los reyes de la tierra siempre los honraron. (Yo no sé cómo está ahora el mundo, pero en mi tiempo esto pasaba). Y siendo por fin cierto que las leyes son una noticia[239] de las cosas divinas y humanas, sabiduría de lo justo o injusto, y que la ley que se pone de un amo a un criado, guardando lo natural y divino, debe ser obedecida porque es ley, fallo, y atento a los autos, que sus procesos deben ser condenados[240] por satíricos, maldicientes y meritorios de pena extraordinaria.

Y dado caso, y no conceso, que los profesores fuesen tan malos que atizasen el fuego de las quimeras; detuviesen el pleito hasta determinada ocasión; diesen arbitrio al delincuente por donde escaparlo de la pena, diciéndole: «Hombre, prueba que te has emborrachado, o que padeciste delirio, que con una vez sola que lo pruebes, que no faltarán testigos, salvaremos que lo estuviste al tiempo del delito», y usen de toda trampa legal o mentirosa, a vuestra merced, señor bachiller, no le pertenece escribir contra ellos, aunque me dicen que fue medio discípulo de mis obras. ¿Qué sujeto es vuestra merced para advertir errores de letrados? Si fuera profesor de modo[241], creyera que como ladrón de casa pudo descubrir al-

---

[237] *lejos:* «En la pintura se llama lo que está pintado en disminución, y representa a la vista estar apartado de la figura principal» *(Aut.).* La representación iconográfica que Torres tiene en mente no parece corresponder a los emblemas clásicos de la Justicia humana, sino de la divina en el Juicio Final (como puede comprobarse en A. Bernat Vistarini y J. T. Cull, *Emblemas españoles ilustrados,* Madrid, Akal, 1999).
[238] *S2-S3: jus suum* [«vivir honradamente, no perjudicar al otro, dar a cada uno lo suyo»].
[239] *P: es una noticia.*
[240] *P: fallo a los autos de sus procesos, que deben ser condenados.*
[241] Dada la estructura sintáctica del período, *modo* funciona como sustantivo, y no como parte de una locución conjuntiva («de modo creyera...»). Una acepción verosímil, coherente con el contexto, procede del campo de la lógi-

gunos hurtos de los manejantes; pero no siéndolo, es desvergüenza y poco reparo de su ignorancia dar voto en lo que nunca entendió. Si por chistoso se ha arrojado a ser blasfemo, desengáñese, que fallo que sus papeles, siendo todos un yerro, no valen un clavo; que su estilo es bueno para entremeses y su prosa para entre niños de la doctrina, porque escribe con poquísimo donaire, sin erudición ni autoridad[242]. Vuestra merced haga sus almanaques, que para eso le crió Dios, y déjese de bufonadas y juguetes. Y el que se quisiere reír, que lo haga de sí mismo; pero vuestra merced hace mal en dar motivo a que lo hagan de sus papeles.

Quisiera ver el mundo por un mes siquiera, aunque me costara volver a vivir. Porque no creo tantas cosas como me dicen del infinito número de letrados que manan en las repúblicas y la facilidad con que suben a los ministerios, los excesivos dones que reciben o se toman; porque a mí no me valió un cuarto ni la abogacía ni las leyes. Al que me las pedía se las comunicaba, y con sana intención satisfacía sus dudas. Mi deseo siempre fue bueno. Y si las aprensiones de los preciados de doctos no han trabucado mis papeles y se gobiernan por sus tablas, yo sé que estará pasadero el mundo. Y entre tanto que lo sé de mejor original, le suplico a vuestra merced que no me diga nada si me responde, porque no le creeré palabra; que ya tengo hecho mal juicio de sus papeles, y no me entrará nada de lo que vuestra merced me diga de los dientes adentro.

Por algunos de mi entierro y por lo que me dijo mi ministril, me parece que le han dado a vuestra merced satisfacción los demás muertos, enviándole de nuevo los principios elementales de sus ciencias. Yo no quiero darle satisfacción, que eso fuera echar margaritas a puercos. Y así, pásese sin esta mi doctrina[243]. Ellos son unos muertos tontos que, como si vues-

---

ca y dialéctica escolásticas (que no eran ajenas a las argumentaciones judiciales), donde *modo* expresa cada una de las formas del silogismo según la naturaleza de las premisas. Menos probables, a mi juicio, pero no descartables del todo, son las acepciones de 'urbanidad', 'comportamiento' o de 'moderación'.

[242] P añade: *y la sentencia apoyada, añade trabajoso lucimiento a la obra.*

[243] S2-S3: *sin esta doctrina.*

tra merced fuera algún oráculo, le dan satisfacciones. Si se aconsejaran con mi mortandad, despreciaran como yo lo hago sus escritos; que el desprecio solo es la mayor pena y el fruto mayor que se puede esperar. Porque enviarle recaditos es darle asunto para que nos maje los huesos y para que nunca salgamos de sus bachillerías.

Vuestra merced se quede en su mundo. Y si pudiere excusar pasarse por estos osarios, háganos el gusto de no vernos[244], que no queremos huéspedes tan charlatanes; que aquí todos estamos condenados a perpetuo silencio, y al mismo tiempo que se cierra el ojo se cose la boca.

Guarde su vida y su alma. Y cuidado no venga a acompañar a mi mente[245], porque le pesará mil veces.

Del podridero. ¿A cuántos? Vuestra merced lo sabrá, que estoy olvidado del día en que llegué a esta.

De vuestra merced su ajado maestro,

El Jurisconsulto Papiniano

Señor Piscator de Salamanca

---

[244] P: *de no vernos ni oírnos.*
[245] P: *cuidado no me venga a acompañar a mi mente.*

—¡Fuego! ¡Y de qué mal humor estaba el señor catarriberas[246] cuando dictó la carta! Los letrados aun después de
muertos conservan con el polvo su vanidad, engañados en
que lo grave de su profesión consiste en las exterioridades del
ceño y en las mudas voces del semblante[247].

—Amigo —dije yo—, no hay duda que los jurisconsultos
infunden en nuestros ánimos una notable veneración; y los
mira el respeto como a quien nos manda y puede quitar, con
una glosa sobre la ley, la vida y la fama. Este es asunto delicado y no quiero hablar palabra, aunque estamos solos; que soy
infeliz y soñarán un comento a mi explicación en que, trabucado el sentido, me cueste caro el uso de las voces, aunque
vivo seguro de pleitos. Pues cualquier[248] contrario mío puede
tener por suya mi capa solo con nombrarme pleito; que he
consultado mejor libranza en los disimulos que en las defensas. Y tú eres testigo que, violentado a una justa defensa de
mis sudores, puse a los pies de la nunca bien llorada Majestad
de Luis Primero (que goza de Dios) un memorial[249] escrito
por mí que, por andar impreso y haberlo leído tú, no te canso en referirte su contenido. Pues solo suplicaba en él que, en
atención a mis trabajos, me dejasen comer de mis tareas; que
la contraria pretensión pudo honestarse con una santa capa

---

[246] *catarriberas:* se llamaba así a los abogados dedicados a realizar pesquisas
y otras diligencias semejantes. Pero también a los vagabundos sin domicilio.
[247] *S2-S3: y en la amargura de las voces.*
[248] *S2-S3: cualquiera.*
[249] Sobre este memorial y las prohibiciones que entre 1724 y 1725 pusieron
en peligro el *modus vivendi* de Torres, véase la Introducción.

en que se rebozaba la ajena codicia[250]. Y, conseguido[251] por entonces, hoy me hallo precisado a la misma defensa, pero con el ánimo más flojo; pues contemplo en mi condición un inseparable desmayo en las porfías[252]. Y, dejando para mejor tiempo mi justicia, pensemos solo en responder a la carta del indigesto Papiniano.

Aplaudió mi amigo esta determinación, tomando con gusto la pluma. Y yo, aunque algo fatigado, dicté las siguientes palabras.

---

[250] Juan de Aritzia, el editor del *Sarrabal de Milán*, pagaba derechos de edición al Hospital General.

[251] *P: consiguiendo*.

[252] *inseparable* en las tres ediciones. Posible errata por *insuperable*.

Respuesta del Piscator de Salamanca al gran Jurisconsulto Papiniano

Muy señor muerto: recibo la suya. Y siento mucho que, no teniendo ya cabeza, se le suban las leyes a lo más alto. La jurisdicción bueno es que dé licencias, pero no atrevimiento. No me admiro; que en vuestra merced es ley vieja valerse del mando para dar el palo. Sobre mí no mandan sus leyes, que estas solo en los desalmados tienen potestad; y, en guardándolas yo, tuertas o ciegas, estoy libre de sus prevenciones. Y, de individuo a individuo, debe vuestra merced guardarme a mí la modestia que le profeso. Las leyes de vuestra merced declaradas y las que, añadidas, me proponen los príncipes, las guardo como preceptos. Y si acaso llegase el caso de poner ley sobre la vida del inocente (como vuestra merced sabe que se puede, *secundum allegata et probata),* perderé la vida dos o tres años antes[253] de lo determinado, y acabará con ella su potestad. Pero mientras viviere con la sanidad del juicio que hoy (gracias a Dios) logro, protesto no dar motivo para que ningún profesor por mí baraje los libros que vuestra merced dejó como pautas. Ojalá pudiera[254] yo prestar mi humor a las gentes, que todos sus sucesores se murieran de necesidad.

La teórica de la justicia es cierto que es *constans et perpetua voluntas,* pero la práctica de la justicia es *costas perpetuas.* Todo el volumen de la ley es un librito que se llama *Instituta*[255], tan

---

[253] En *P* falta *antes.*

[254] *P: Y ojalá pudiera.*

[255] *Instituta:* «Voz bárbara, usada comunísimamente por el resumen o compendio del derecho civil de los romanos, que por disposición y con autoridad

claro que el que lo lee lo entiende; y con este nos bastaba para régimen y práctica de nuestras operaciones y para ser juzgados por él. Todas las facultades juntas no tienen más libros ni más comentos que esta. Y todo cuanto han escrito dicen que no es nada, porque más son los negocios que los vocablos, según la ley 4, *de praescriptis verbis*.

Al que litiga le abren los sentidos para que enrede más. Entre todos se discurre el modo de huir, adelantar e interpretar la ley. Se cruzan las opiniones y las glosas en los pleitos. Uno lo detiene, otro lo adelanta, otro se agarra de un *lapsus calami* del escribano, otro dice que se tragó el relator medio proceso, otro que el procurador mintió en la petición. Cuantas son las personas de un pleito, tantas son a mentir, opinar y detener las dos partes, buscando empeños a carrera tendida y dando regalos. El escribano escudriña bolsas en que vaciar la realidad de las partes; el relator se echa a dormir esperando las propinas; los abogados, revolviéndose los sesos por oscurecer verdades, y el que más guerra hizo a la parte contraria, ese es mejor letrado; el procurador se esconde; los jueces se confunden.

Toda esta quimera, desasosiego e inquietud tiene lo falible y conjeturable de su profesión, y el no haber vuestra merced dejado (como hicieron los matemáticos) convencibles demostraciones en sus teoremas y problemas. Al fin[256], señor mío, las leyes las hicieron hombres que, los más, se condenaron. Vuestra merced se case con ellas, que yo no creo nada de lo que veo y no entiendo palabra de lo escrito.

El tener yo vida es porque no quiero pleitos. El tener capa es porque huyo de letrados, procuradores y escribanos, pues cuantos han pleiteado se quedan sin ella y sin camisa. Yo vivo una vida feliz. Al que me injuria, perdono; al que me roba, disimulo, y de esta suerte estoy bien hallado. ¿Para qué me he de quejar si me ha de costar más cara la queja y he de deshonrar con precisión al que me agravia, y repetirme en la queja su

---

del emperador Justiniano compusieron en cuatro libros tres célebres jurisconsultos, Triboniano, Teófilo y Doroteo, intitulándose *Instituciones de Justiniano*» (*Aut.*).

[256] P: Y al fin.

ofensa? Y el castigo que le da la ley nunca es satisfacción de mi agravio, porque si me hurtó cien reales he menester doscientos para que le mande la ley pagar. Si me hurta la fama, no la puede jamás restituir, aunque me cante la palinodia; conque logro asegurar desde luego la quietud y quedar mejor. Perdonando sirvo a Dios, que es la ley justa; me libro de pasos, desazones, y aumentar la ira y el encono. Y así, amigo muerto, sus leyes de vuestra merced serán lo que vuestra merced quisiere. Déjeme vuestra merced agarrar de los diez mandamientos y váyase a pernear en sus tablas[257], que yo las paso y las admito porque no tengo modo de huir de ellas; ya las consintieron[258] los antepasados y las juraron por los que estábamos todavía en los calzones de Adán. Son buenas, no las disputo, las venero como justas. Séanlo en hora buena, pero yo más quiero obedecerlas que profesarlas.

Díceme vuestra merced que quién me mete a mí, no siendo profesor, en reprehender los letrados. Yo, señor mío, me meto (aunque perdone); que más ven los que miran que los que juegan. Vuestras mercedes se meten en las vidas de todos. Mi profesión es la política; esta es ciencia de todos, y puedo decir que las profeso todas. Y aunque escriba mal, cumplo con las leyes de mi profesión. Y para demostrar el mundo no es necesario leer, sino ver. Más enseña el trato que los libros; estos son cuerpos muertos, y el trato voz viva. Y en lo que tocan los ojos, son odiosos los argumentos.

Como vuestra merced me ha dicho que no me creerá nada, no quiero decirle lo que son los letrados. Solo le digo a vuestra merced que no desee venir al mundo. Y si acaso lo consigue, tráigase los ojos de cuantos se han muerto, para llorar (y aun así le faltarán ojos); o las risas de todos, que de llanto y carcajada hallará dignos asuntos en la vida. Y si mi consejo, por ser vivo y estar actualmente manoseando al mundo, lo quiere admitir, mejor es que venga a reír que a llorar; porque es locura llorar los desatinos ajenos cuando tiene cada uno bien que gemir en los suyos.

---

[257] *pernear*: 'agitar violentamente las piernas', y también 'irritarse por no conseguir lo que se desea'.
[258] P: *porque ya consintieron*.

Vuestra mortandad se ha librado de buena burla en no haber enviado los fundamentos de sus leyes, porque no los hubiera leído. Es facultad que me da miedo; y yo sólo busco ciencia que me divierta, y no la que me haga rico, que mi codicia se contenta con poco. No quiero detenerme en cansar a vuestra defuntez ni molerme yo, que siempre tuve por molestia (aunque los estimo) tratar con letrados[259]; que la mucha comunicación que con ellos he tenido me tienen escarmentado[260].

Mil cosas más se me ofrecían que decirle. Pero es preciso dejarlas en el silencio, por el motivo que vuestra mortandad me avisa en su carta del modo con que supo mi oposición a las leyes. Solo por último le advierto que tenga por falso testimonio el que le han dicho de que yo fui discípulo de sus obras; pues no ha tenido otro fundamento la noticia más que el haberme visto envainado en los hábitos largos, en aquella precisa asistencia a la Universidad y patear sus cátedras. Y en cuanto a que yo vaya por allá, pierda vuestra merced desde luego la esperanza de verme. Y no tema que le vaya a dar sustos; porque quien vuestra merced no conoció me tiene prometido otro paradero; y, mientras vivo, está en mi mano elegir mejor senda.

Vuestra merced se quede, mientras yo me prevengo para mejor jornada. Dios lo quiera.

De esta vida. Mayo 2, de 1725.

De vuestra merced su mentido discípulo,

El gran Piscator de Salamanca

Señor Jurisconsulto Papiniano

---

[259] *S2-S3* omiten *(aunque los estimo)*.
[260] *me tienen:* en plural en las tres ediciones. No es raro en Torres este tipo de concordancia por proximidad.

—Quejoso está de ti, y no sé si con razón, este Jurisconsulto. Mira lo que haces. Que por lo mismo que conoces su poder, su mando y su palo, te armarán una zancadilla y te abultarán un pecadillo venial, de suerte que lo pagues a lo menos en un destierro[261].

—Si lo hiciese la fuerza —respondí yo—, me conformaré; que no hay cosa más fácil de no sentir que lo irremediable. Ninguno me debe más que especiales atenciones. Y el letrado que sabes que escribió contra mí y contra el pobre de mi hijo[262], conociéndolo como a ti, me debe la modestia de no haberle sacado a la luz su propio nombre, y respondí sólo al apócrifo de su anagrama. Y confieso y juro que si fuera escritor de otros años y otros créditos, de modo que no sospechase el vulgo que callaba de necio en los capítulos, no hubiera tomado la pluma. Y esto lo haré, aunque escriba mañana otro de su profesión o de otra que soy hereje[263]. Yo, si quisiese mi fantasía darme alguna especie, la seguiré para ayuda de un vestido, y dejaré a los demás que se descabecen. Trabaje yo y tiren ellos. Sus leyes son santas y buenas si las observamos sin interpretaciones y sin comentos para huir la ley. La Filosofía

[261] *S2-S3: lo pagues en un destierro.* Lo que en 1725 se podía considerar una hipérbole humorística se había convertido en una profecía ya cumplida a la altura de 1743. Torres, involucrado en una discusión en la que su amigo el aristócrata Juan de Salazar hirió a un clérigo, sufrió de 1732 a 1734 un severo e injusto destierro en Portugal, sin juicio ni posibilidad de defenderse.

[262] Nueva referencia al panfleto satírico de Ruiz de Benecerta. Véase nota 22.

[263] *S2-S3* suprimen el pasaje *Ninguno me debe ... que soy hereje.* Sin embargo, es revelador de los estímulos autobiográficos inmediatos que impulsan su escritura en 1725.

es un chistoso delirio que entretiene; la Ética, un sagrado discurrir que eleva; la Medicina, un penetrar que suspende; la Astrología, una mentirosa idea a quien engaña la Filosofía. Y todas las ciencias son admirable empleo de los años, pero con todas no alcanzamos una verdad. Lo que debemos hacer es discurrir sin daño, elegir sin perjuicio, estudiar sin presunción y esperar la muerte empleados; que después de esta lo sabremos todo. Y entre tanto solo creo al doctísimo Sánchez[264], que escribió un libro sobre el *nihil scitur*, que concluye: «Yo creo en Dios, confieso por santos y milagrosos sus preceptos. Creo que hay gloria e infierno[265], pena para el malo, premio para el bueno. Creo que me he de morir y que he de ser juzgado. Creo las revelaciones de mi madre la Católica Iglesia.» Las ideas de los hombres, sus supuestos y sus libros, sus presunciones y fantasías, no hay diablos que me las encajen. Para mí fue un varón de gran entendimiento Papiniano, pero no sé si me engaña. Hipócrates fue casi divino, pero no sé si dijo la verdad. Ni ellos lo supieron, porque marcharon de la vida, como me sucederá a mí, sin saber nada.

—Terrible mentecato eres. Aunque yo no tuviera más experiencia que seguir lo que todos, dejara mi opinión —me dijo el camarada—. Si te oyen estas proposiciones las gentes, ¿qué dirán de tu seso?

—No las vaciaré yo entre gentes —respondí—, sino entre personas desapasionadas y desnudas del engañoso vestido de su amor proprio. Y, a todo decir, dirán que soy tonto; y a mí no me cuesta violencia confesarlo. Déjame con mi porfía, que eso quieren todos, y vamos acabando con este correo.

Tomó mi amigo la carta que se seguía, y leyó así:

---

[264] Es intensa la presencia del humanista portugués Francisco Sánchez (1551-1623), autor de *Quod nihil scitur* (1581), en el ambiente intelectual del primer cuarto del XVIII, especialmente entre los *novatores* que encontraron refugio, tras la batalla, en un escepticismo y eclecticismo de variada graduación. Sánchez ha sido considerado un precursor del método cartesiano, al afirmar la duda como principio de toda reflexión y de todo conocimiento auténtico. Torres sintonizó bien con un pensador que, al exhortar a que cada uno investigara las cosas por sí mismo, sin preocuparse de opiniones ajenas, corroboraba su propia creencia en la primacía de la experiencia individual, sin más barrera que los dogmas católicos.

[265] *P: gloria, infierno.*

Carta de Aristóteles
al gran Piscator de Salamanca

Estábame yo en mi sepulcro sin decir esta muerte es mía, cuando llegó un escolar pilongo[266] (que debe de ser posta para la otra vida) a decirme si quería escribir al mundo, que él pasaba a llevar a vuestra merced, señor cachi-Gotardo[267], unas cartas de otros viejos difuntos. No me ocurría especial cuidado para lograr la ocasión de decirle a vuestra viveza mi sentir. Díjele que esperase. Y advirtiéndome el licenciado que fuese breve, por serlo llamé a un gramático que se pudre conmigo para que escribiese, porque yo no puedo formar letra.

Yo no he visto cartapacio alguno de los que dicen que vuestra merced escribe, y así no puedo, con toda formalidad, quejarme de sus voces. Solo he oído en estas cavernas vagas noticias de que vuestra merced habla mal de mí y de mi filosofía[268]. No lo creo, porque le considero hombre entendido, y no había de acreditar su talento a costa de sátiras; que antes este es único modo de deshonrar su cabeza y envilecer su discurso, y es faltar a la cristiana política entre los vivos y a la justa caridad con los muertos. Mas la mentira es hija de algo. Y lo que yo me sospecho es que habrá elegido otra doctrina, y para abonar las ideas de su maestro se le habrán huido de la

---

[266] *pilongo:* «Se llama también el sujeto flaco, extenuado y macilento, o que está pelado» *(Aut.).*

[267] Véase nota 86.

[268] La última vez, en el almanaque para 1725. Sobre el antiescolasticismo aristotélico de Torres, véase Introducción.

pluma o de la boca algunas proposiciones de discípulo; pues para hablar mal positivo nunca tendrá disculpa, y siempre sería sin fundamento.

No quiero (porque está de priesa este licenciado) decirle por extenso los discursos naturales con que enriquecí a mis sucesores. Solo le digo a vuestra merced (para que lo sepan los vivos) que en el mundo andan destrozadas y remendadas mis obras. Que como en mi siglo no teníamos la bellísima ocasión de las imprentas que ahora[269], cuando me trajo la muerte a este carnero ocultó y guardó mis escritos Teofrasto; que aquí me lo dijo Juan Luis Vives, que fue alcahuete de este hurto[270]. Y allí estuvieron ocultas hasta que Lucio Sylla, dictador, compró estas librerías, y para coordinarlas y colocarlas se las dio a Tyrannion, gramático, y este las trasladó mal y de mala manera. Y como faltó mi viva voz corrieron sin aprecio, por la dificultad de los sentidos, hasta que Alejandro Afrodisiense escribió los comentos[271]; a quien se debe la honra de haberme

---

[269] P: ocasión de imprentas.

[270] *alcahuete* tiene aquí el sentido de 'chismoso'. A Teofrasto (372-288 a.C.), discípulo de Aristóteles y pieza fundamental en la transmisión de las doctrinas de su maestro, se le llegó a atribuir una intervención muy directa en la composición del *Corpus aristotelicum*, alterando en parte el verdadero pensamiento de Aristóteles. Ello enlaza con el trasfondo de la referencia a Vives (1492-1540). La estrategia o coartada del humanismo crítico renacentista para poder distanciarse del aristotelismo (acaparado en su interpretación por el dogmatismo escolástico) fue sostener que el verdadero pensamiento aristotélico había quedado corrompido por las contaminaciones sufridas en su transmisión. Es la misma estrategia utilizada por los *novatores* en el tránsito del XVII al XVIII, y a la que en cierto modo se acoge el propio Torres.

[271] Al margen de la credibilidad actual de toda esta historia, Torres se hace eco de la versión durante mucho tiempo canónica de la accidentada transmisión de los escritos de Aristóteles. Procede de Plutarco *(Sulla,* cap. 26) la intervención de Sila (Lucius Cornelius Sulla o Sylla, 138-78 a.C.), que al conquistar Atenas (86 a.C.) se apoderó de los manuscritos (que habrían permanecido ocultos desde la muerte de Teofrasto) y los llevó a Roma, donde se hizo cargo de ellos el gramático Tyrannion. A partir de ahí sufrieron deturpaciones y manipulaciones en manos de copistas y estudiosos, hasta la depuración llevada a cabo por Andrónico de Rodas, eslabón de la cadena no mencionado en el texto. Es muy cierta la importancia de Alejandro de Afrodisia (fines del siglo II-principios del III d.C.), director del Liceo de Atenas, como intérprete de Aristóteles. De sus comentarios pueden documentarse numerosas ediciones en el siglo XVI.

entendido y expurgado. Y así empezaron a leerse y a entenderse mis libros.

De vuestra merced (que es prudente) no lo creo; pero de otros no dudo habrán vejado mi doctrina por seguir a Demócrito[272], que aquí está con diez carros de tierra y polvo sobre sus huesos, sepultado eternamente en el olvido, pues nadie se acuerda un átomo de tantos como escribió. Y en fin, amigo, yo tengo la gloria de que los Santos Padres de la verdadera ley tuvieron presente la filosofía de Demócrito y las ideas de Platón[273]; y para fundar los sistemas teológicos, solo escogieron la mía[274]. Santo Tomás fue aristotélico; y aunque por allá se dice que fue San Agustín platónico, se engañan, que más veces se acordó de mí que de Platón.

La doctrina de átomos es buena para los estrados, no para las escuelas. Y aunque por acá ignoro muchas cosas de la vida, me persuado, por hacerme merced, a que las más escuelas y religiones estudien en mí y no en estos filosofillos mentirosos. Yo procuré siempre escribir la verdad. Y a Sócrates se lo dije mil veces en sus hocicos cuando vivíamos[275] y notaba yo las voltariedades de su idea[276]: *Socratis parva cura habenda est, veritatis autem maxima*[277]. Y en cuanto a esta parte, solo satisfago a vuestra merced enviándole los elementos de mi filosofía. Vuestra merced los compare con otros, y hallará en mí el desinterés con que me dediqué y las cavilaciones de los otros,

---

[272] Demócrito fue el gran apoyo clásico de la nueva física atomista, pieza clave (con sus matices y variantes) de la ciencia y filosofía modernas de entonces. Torres (frente a la esperanza que su personaje expresa en el texto) no fue una excepción. Ese mismo año (1725) da en *El gallo español* (el opúsculo que está en el origen de *Sacudimiento...*) una curiosa explicación atomística de la exactitud horaria del canto del gallo (véase Introducción). De *Viaje fantástico* (1724) a *Los desahuciados del mundo y de la gloria* (1736-1737) se aprecia un proceso de adhesión —cada vez más decidida y con mayor conocimiento de causa— al atomismo.

[273] P: *de Demócrito, las ideas de Platón.*

[274] P: *sola la mía.*

[275] ¿Lapsus cronológico o licencia literaria? Sócrates murió en el 399 a.C. y Aristóteles nació unos quince años después.

[276] *voltariedad:* inconstancia o volubilidad.

[277] En versión un poco libre, «hay que preocuparse menos de Sócrates y más de la verdad».

que por ganar fama en hallar nueva invención trabucaron lo mismo que conocían como evidencia.

Quien yo soy no me está bien el decirlo. Solo puedo (sin temor de ser tenido por vano) decir que fui un macedón honrado y, por desgracia mía, gentil. No escogí patria, ni religión. La causa primera me labró cuna en donde crecí con las impuridades del primer genitor[278]. A vuestra merced le echó a la vida desde donde puede subir a la celestial eterna, beneficio admirable. Muera vuestra merced gustoso, y viva yo correspondiendo a tan imponderable y no merecido bien.

De esta bóveda, tiniebla eterna donde me oscurezco.

De vuestra merced su íntimo apasionado,

Aristóteles

Sr. Piscator de Salamanca

---

[278] *impuridades:* impurezas.

—Ninguna carta de los otros muertos me ha dado tanto gusto como esta. Muy breve, concluye en cada cláusula tan cortesano[279] que parece criado en la política moderna —dijo mi amigo. A quien yo respondí:

—Este fue el varón de los siglos. No hay animal más parecido al hombre que el mono. Los más agudos no hacen más que parecerse; no son filósofos, sino micos que se quieren parecer a este insigne gentil. ¡Qué notable desventura[280], que no conociese y escribiese a la luz de la verdad cristiana! ¡Qué consejos no nos hubiera dejado, cuando en la ética del bien obrar que dictó nos dejó una admiración en cada pensamiento! Yo siempre le veneré como maestro y creí como oráculo. Es verdad que lo leí con las otras filosofías; pero fue vanidad de mis años y bobería con que seguí el estilo de las gentes, y por hablar. Pues en la corte se extiende tanto este modo mecánico de silogizar, que tienen por inútil al que no habla por átomos, y espíritus[281], y corpúsculos indivisibles; pero sabe mi alma que nunca me aparté de lo que leí en Aristóteles[282]. Fue hombre de juicio, que estudió sin otro fin que aprovecharse[283]. Y me alegro que nos remita los originales elementos

---

[279] *P: muy cortesano.*

[280] *P* añade: *(dije).*

[281] *espíritus:* «Se llaman las partes o porciones más puras y sutiles que hay en los cuerpos o cosas líquidas, extraídas de la sustancia o por destilación o por otra operación» *(Aut.).*

[282] *S2-S3,* significativamente, omiten este último pasaje, desde *Es verdad...* hasta *... leí en Aristóteles.*

[283] *aprovecharse:* aquí en el sentido más positivo de obtener *aprovechamiento:* «El fruto y adelantamiento que se consigue en dedicarse a lo que es bueno y útil: como la virtud, los estudios, etc.» *(Aut.).*

de su filosofía[284], que así no tendremos duda, viniendo de su mano. Y doy palabra a mi curiosidad de darle gusto en la lección, y apartar el ánimo de opiniones que niegan accidentes; que esta idea puede arrastrarme a los peligros[285]. Y Dios me libre de supersticiones.

—Sí, amigo, debemos estudiar lo que nos aproveche y no lo que nos pierda —dijo mi camarada—. Y ahora, por Dios que acabemos, que ya deseo dar fin a este correo. Responde; y sea con modestia, que lo merece este insigne filósofo.

Y doblando el papel, mojó la pluma. Y yo dicté así:

---

[284] *S2-S3: de la filosofía.*

[285] He aquí la posible clave principal de la relativa y efímera palinodia de Torres respecto a su antiaristotelismo. Desechada la física aristotélica, con la distinción de sustancia y accidente, el dogma de la Eucaristía quedaba sin apoyo «racional» en la nueva física atomista. Esta fue la razón de no pocos equilibrios y rectificaciones poscartesianas de los antiescolásticos (como Maignan y Saguens, muy presentes en el ambiente de los *novatores),* y el argumento principal de las condenas de la Iglesia contra el cartesianismo y sus secuelas.

Respuesta del Piscator de Salamanca al mayor de los filósofos, el gran Aristóteles

He leído con toda veneración la discreta nota de vuestra inmortalidad. Y le doy las gracias por la buena elección que ha tenido en no creer del todo las maldicientes voces contra su fama. Yo siempre le veneré y amé como a maestro. Y en cuantas conversaciones de maestros y legos me he hallado, si por curiosidad se habló de vuestra merced ninguno me oiría otra cosa que alabanzas justas. Verdad es que en algunos problemas no he querido creer a vuestra merced. Y luego, como han escrito otras filosofías, dudoso yo, no sabía ni es posible elegir.

Aunque vuestra merced está honrado entre los hombres de las religiones, los médicos le han arrojado[286], y todo el gentío de los curiosos, y se han arrimado a otras sectas. Vuestra merced nos dejó por principios del ente natural el vasto cuaternión de elementos[287], y nos enseñó que de la diversa metáte-

---

[286] Torres da testimonio de una realidad histórica: el papel predominante de los médicos (Cabriada, Muñoz Peralta, Zapata, etc.) como impulsores del movimiento renovador, en contraste con filósofos, letrados y literatos. Lo que resulta perfectamente explicable. Aparte del carácter laico de estos profesionales y de la imprescindible dosis de empirismo de la ciencia y práctica médicas, la Medicina podía dar cabida a aportaciones de la nueva ciencia sin que ello implicara, a ojos de los dogmáticos, una ideologización global del conocimiento o la necesidad de revisar toda la construcción escolástica.

[287] *cuaternión:* conjunto de cuatro cosas, en este caso los elementos constitutivos de la realidad material. En realidad, Aristóteles (junto con otros filósofos), añadió a tierra, agua, aire y fuego un quinto elemento, el éter, en el que estaría contenido el cosmos.

sis[288] resultaba la generación, corrupción y alteración de los entes. Esto se siguió, y lo pasaban los médicos, físicos y teólogos grandemente hasta que Cartesio resucitó[289] y puso en venta los átomos de Demócrito y Epicuro. Que estos sabe vuestra merced que dijeron que todos los efectos naturales procedían del conflujo de las varias configuraciones de los átomos, de modo que en los caballos y en las hormigas hay átomos redondos, triangulares, cilíndricos, acuminatos[290], y por la diversa disposición y configuración de estos resulta el sujeto. Los espargíricos[291] se mantienen con otros elementos: espíritu, sulfur, sal, agua, tierra. Todos los cuerpos dicen que constan de sal, y por el diverso movimiento y proporción en los mixtos resulta el orto y el ocaso[292], por la variedad de la fermentación, que esta es otra cosita que se mueve intestinamente, y natural[293].

Estas y otras invenciones han soñado los filósofos, queriendo usurpar a vuestra merced la gloria de primer inventor y verdadero natural. Y como hoy está el mundo siguiendo a todas estas doctrinas, unos dicen que la de vuestra merced no es buena, pero mal positivo no lo he oído a ninguno; conque satisfago a vuestra merced a las malditas voces de mis enemigos, que hasta en el infierno me persiguen.

De vuestra merced, habiendo conseguido unas virtudes morales tan cultivadas y siendo un hombre tan honrado, menos podría yo hablar mal. Y yo tengo la vanidad de que sé más de vuestra merced que otro, porque sé su genealogía, vida y empleo, que es lo que hay que saber del hombre. Vues-

---

[288] *metátesis:* transposición, intercambio.

[289] Recuérdese que Descartes (o Renatus Cartesius, 1596-1650) había desarrollado su obra en la primera mitad del siglo anterior (el *Discurso del método* es de 1637) sin que su pensamiento dejara entonces huella apreciable en España.

[290] *acuminatos* (lat. *acuminatus):* acuminados, puntiagudos.

[291] *espargíricos:* espagíricos, los partidarios de una explicación química de los fenómenos naturales; *espargiro* se llamaba al mercurio en la terminología de la Alquimia.

[292] *ocaso* en *S2-S3; interito* en *P.*

[293] Martín Martínez, el médico novador que en 1726 desató contra Torres la polémica de la Astrología, explicaba el fenómeno de las mareas (tras negar la explicación «astrológica» del influjo de la luna) a través de un complejo proceso de fermentaciones químico-corpusculares.

tra merced fue macedón honrado de Estagiris, hijo del insigne médico Nicómaco (entonces cuando los médicos eran hidalgos). Su abuelo de vuestra merced fue Esculapio[294]. Su madre fue una matrona de bellas entrañas y buena condición, llamada Festide. Y esto lo sé yo por un epigramita, que cantaban a vuestra merced cuando mozo los que le aprendían y estimaban, que si mal no recuerdo decía así:

*Matre creatus Phaestide Nicomacoque parente
stirpe Asclepiadum divus Aristoteles*[295].

Sus padres de vuestra merced le educaron en un hospicio hasta los diez y siete años que, cumplidos, le encamparon a Atenas[296], donde se hizo amigo y compatriota de Sócrates[297]. Y, muerto este, conchavó vuestra merced con Platón. Creció vuestra merced con tantos créditos de bueno y filósofo, que sus paisanos los estagiritas celebraban una fiesta todos los años, que la llamaban *Aristoteleo*. Y el mes en que se hacía esta zambra se llamó *Stagiriten*.

Los libros que vuestra merced nos dejó para los vivos fueron muchos. Acá solo hemos alcanzado las *Categorías,* en que trató el negocio de la simple exposición de voces y todo asunto logical; *De la interpretación,* dos libros en que expone la naturaleza de las proposiciones, con sus *Analíticas* primera y última; la *Fisiología,* en que hizo física auscultación de los entes naturales; el *Tratado del cielo y del mundo,* y este dicen que no es de vuestra mortandad, y quien le ha levantado este caramillo[298]

---

[294] Tampoco hay que tomarlo al pie de la letra. Nicómaco pertenecía al gremio de los Asclepíades, llamados «hijos de Esculapio».

[295] «El divino Aristóteles, engendrado por su madre Festide y su padre Nicómaco, era de la estirpe de los Asclepíades.»

[296] *encampar:* 'poner en camino'. Ni *Aut.* ni los *DA* recogen el término, pero sí Lamano en su repertorio de salmantinismos. Lo del hospicio parece un toque populista de historietas ejemplares. Al morir su padre, Aristóteles, un muchacho aún, quedó bajo la tutela de Proxeno, seguramente un pariente por vía paterna.

[297] Vaya por Dios. He aquí la respuesta a nuestra duda de la nota 275.

[298] *caramillo:* «Metafóricamente vale embuste y enredo, que ocasiona desazón entre algunas personas, movido de los chismes de algún revoltoso o malintencionado, que los enzarza con cuentos y quimeras» *(Aut.).*

fue Jerónimo Gemuseo, filósofo[299]. *Meteoros, Animales, Proble-matas* y otros, hasta más de ciento y cincuenta que he visto en Jerónimo Cardano, que fue médico y físico de bien[300].

Vuestra merced procure cortar los vuelos a la sospecha que pueda tener de mí, que solo le habrán impresionado falsas voces; que nací con la desgracia de que me levantan que rabio[301]. Y así solo crea a la ingenuidad y cariño con que le confieso mi obediencia y que ningún filósofo me debe más crédito que vuestra merced. Pues, según me dibuja la noticia su semblante, naturalmente sería un hombre de verdad, recomendación y descuido. Y así lo creo, en pago de que vuestra merced me crea esta expresión.

De mi posada. Madrid, corte del Rey de España.

De vuestra merced su leal afecto servidor,

El gran Piscator de Salamanca

Sr. Macedón Aristóteles

---

[299] Jerónimo Gemuseo o Hieronymus Gemusaeus (1505-1543) editó las obras de Aristóteles a mediados del XVI (Basilea, 1542).

[300] Gerolamo Cardano (1501-1576) fue profesor de matemáticas y medicina en Milán, de donde pasó a Pavía y Bolonia. Escribió de medicina (en sus doctrinas estaba muy presente la astrología), filosofía *(De subtilitate, De varietate rerum)* y matemáticas *(Ars magna,* 1542). Su obra testimonia la convivencia renacentista de racionalismo crítico y doctrinas herméticas.

[301] *levantar:* 'hacer una imputación falsa a alguien'. Respecto a *rabiar,* seguramente hay que ir más allá de la acepción de 'encolerizarse', 'enfadarse agresivamente', si se recuerda la posible ascendencia judeoconversa de Torres o, sobre todo, el hecho cierto de que sus enemigos utilizaron esa vía para insultarlo en sus libelos. *Aut.* definía así *perro:* «Metafóricamente se da este nombre por ignominia, afrenta y desprecio, especialmente a los moros y judíos.»

—Amigo mío, no dudo que los hombres insignes fueron los naturales. Y a mi rudo entender, en punto de virtudes morales ningún profesor conoce con más gallardía, desinterés y humildad que estos. El nombre solo lo dice: filósofos, amantes de la ciencia. Y en mi juicio, solo es sabiduría la que estudia en la naturaleza de los entes. ¿Por qué he de nacer yo hombre y me he de morir como un borrico, sin saber qué fui ni qué es el hombre? ¿Por qué no he de saber yo cómo se producen[302], engendran y se aumentan estos vegetales? ¿Por qué he de ignorar qué es esta tierra que me sufre, esta agua que me humedece, este aire que me alimenta y este cielo que me gobierna, influye y mantiene? ¿De qué me sirve a mí saber si los hijos naturales pueden heredar? Y si lo supiera, importara para la humana quietud. Pero si consulto a los libros, unos me dicen que sí, otros que no pueden, y me dejan a la vanidad del capricho la resolución. Soy hombre, no es demostrable el teorema, conque doylo por errado.

Así decía mi amigo. Y sin dejar la oración prosiguió diciéndome:

—Bien conocía yo, por la práctica de las facultades[303], lo dudoso de sus doctrinas. Porque yo veo que para votar un pleito son ocho, y de estos dos son de un sentir y cuatro de otro; y el que más votos junta se lleva la prebenda. En las juntas de los médicos, sobre una misma enfermedad uno vota purga, otro sangría, otro cordial. Pero dejando estas profesiones, que ya sabemos que son voluntarios los sistemas, dime: ¿es posible que en las matemáticas todo es demostraciones?

---

[302] *P: cómo creo se producen.*
[303] *por la práctica* en *P; S2-S3: la práctica.*

—De tal modo —respondí yo—, que las Matemáticas son las verdades de Pedro Grullo: *Si a partes iguales añado partes iguales, el todo será igual; si a partes desiguales quito partes desiguales, el remanente será desigual. Dos y dos son cuatro. Si el sol anda al día un grado, en treinta días andará treinta grados*, etc. A este modo son sus procesos todos. Mira si con estos elementos podremos asegurarnos de las tormentas de tantas opiniones. Pero esto de líneas es una materia de mucho punto y dificultosa, y así dejémosla, que si yo empiezo no acabaré en dos horas, porque confieso que le tengo pasión a esta ciencia.

—Amigo, yo creo a los ojos. Bien puede ser cierta y demostrable la ciencia que profesas, pero yo he tenido cuenta con tu *Pronóstico* y le he pillado infinitos embustes: dar vuestra merced sol y encharcarnos en agua; dar muerte de un rey y no suceder tal caso.

—Eres un bestia —le dije—. Esta ciencia de hacer pronósticos no es Matemática, es Filosofía. Es un juicio de los elementos y los influjos. En la parte matemática de los eclipses y lunas no habrás encontrado error sensible. Esto lo he explicado en varios papelillos[304]; léalos tu curiosidad, y no me quiebres la cabeza. Y ahora despachemos, si me quieres hacer gusto de leer esta última carta.

Decía así:

---

[304] *Viaje fantástico* (1724) incluía como apéndices o «Descansos del viaje» un par de apartados, en los que trataba «del eclipse del día 22 de mayo de 1724, como de los que pueden suceder hasta la fin del mundo, y otras curiosidades», así como de las «Predicciones de los eclipses de sol y luna».

Carta de un muerto místico
al gran Piscator de Salamanca

Carísimo: salud en Cristo, que es la verdadera salud.

La voz viva de un difunto es más misión que la repetida plática de los oradores[305]. En nosotros verás desengaños, y en el mundo voces. Así, mírame, que te hablo al alma, y aprovéchate de este aviso. La prisa de avisarte fue la ocasión de mezclar esta carta con las otras. Pero advierte que lo hizo la confusión. Estudia en ella y no te canses en averiguar cómo fue a manos del licenciado que te habló y las entregó juntas.

Es la vanidad universal tan trascendente, hermano mío, que aun en el que dice que no la tiene se encuentra. Y esta es la más hinchada, porque hay modo de esconderla con que escandalosamente se publica. Esta entre sus obrillas se pregona humilde, y allá entre los soberbios, como no saben desestimar persuasiones[306], puede correr su hipocresía con otro apellido. Por acá se lee a mejor luz y se conoce que vive apasionado de sí, como si en sus talentos tuviera cosa propia. Todo es de Dios, y solo es suya la loca vanidad de sus delirios.

Hanos parecido mal su desenfado y su inmodesta pluma[307]. Y es que no la guía el temor de Dios. Y como está entregado del todo a la lección de libros vanos, ha seguido el humor de sus autores. Déjese de coplas, de cálculos y prosas que son perdimiento de las horas útiles. Que no se nos ha

---

305 Lectura de *S3*. *P* y *S2: de oradores.*
306 *P: presunciones.*
307 Lectura de *S3*. *P* y *S2: su desenfado, su molesta pluma.*

dado el tiempo para desperdiciarlo y averiguar si Saturno está retrógrado o directo[308], que no le ha de servir más que de estorbo para el último instante. Espacio tendrá, en viniéndose a nuestras bóvedas, de saber las concavidades, crasicies y movimientos de la esfera[309]. Y aquí conocerá (si esta carta no le disuade) cuán en vano fatigó la aplicación y qué lejos estuvo de la verdad.

Lea a los Santos Padres, que en sus obras hallará el chiste con agudeza cristiana, la discreción con aprovechamiento, el equívoco con más inclinación a lo sagrado que a lo desenvuelto y, en fin, una sabia y eterna lección, que es un alimento del alma en la tierra que engendra felicísimos humores en la gracia.

Dígame: ¿qué ha sacado de leer las novelas de Zayas, las coplas de Góngora, las sátiras de Marcial, los chistes de Quevedo?[310]. Nada más que emplear en risas al discurso. Y si la lección de estos le agrada, en los Santos Padres la hallará con más sal y con más donaire. Déjese de historias, novelas y coplas, y dedíquese a aprender el modo de elevar el espíritu, mortificar la carne, limpiar los sentidos, barrer las potencias, instruir el alma y ejercitar[311] las morales y teologales virtudes, que a esta pelea le echó Dios al mundo y no a escribir jácaras y almanaques.

Si le parece que, porque emplea los días en leer, se ha dado Dios por servido de sus obras, vive burlado: antes está sumamente ofendido. Porque, escribiendo con ánimo de despachar sus papeles y coger la bobería de los hombres con la chanza, ha permitido a la pluma mil sandeces y mil satirillas.

---

[308] *retrógrado:* «... se aplica al movimiento que contra el orden natural y de los signos hace algún planeta» *(Aut.).* El *DA,* en elogiable apertura a la ciencia empírica, precisa el carácter aparente de ese movimiento, visto desde la tierra. No cumple con menos.

[309] *crasicies:* grosuras, relieves.

[310] Sobre las preferencias y criterios literarios de Torres es interesante la lectura del episodio del «escrutinio de la biblioteca» del ermitaño *(El ermitaño y Torres,* 1726; pero interesa la versión de la edición refundida y ampliada en 1738). Allí la nómina de escritores se amplía (Francisco Santos, Zabaleta, Cervantes, Avellaneda, Gracián...), y va acompañada de juicios muy sensatos.

[311] *S2-S3: instruir el alma, ejercitar.*

Y en llegando estas a manos de hombres espirituales (aunque hay pocos por allá), las desestiman y conocen el daño que, desde nuestra eternidad, sabemos los que aquí vivimos.

Los golpes del mundo en su alma han sido tan sucesivos que han hecho poco menos que incurable la llaga. El medio es limpiarla de las costras y materias retostadas que la tienen cercada, y bañarla con el agua dulce de estos consejos que, lastimado, le remito, advirtiendo que para leerlos ha menester desposeerse de otros estudios inútiles; pues de otra suerte será añadir enconos a la herida. ¡Oh infeliz mil veces, si quiere que se pudra el todo por inclinar su cuidado solamente al deleite de la voluntad!

Y si mientras tiene que vivir no tiene otro modo con que acabar la vida, le ruego y amonesto que escriba llanamente, sin añadiduras de prólogos, porque ya le muerden en el mundo su desenfado y es menester huir los escándalos. Y mire que en la hora de la muerte le harán mucha guerra esas que hoy ríe como chanzas.

Dios le abra los ojos y le guarde para el cielo.

Quien llora la perdición de sus talentos,

Quien vivió como que[312] *había de morir*

Carísimo Torres

---

[312] *S2-S3: como quien.*

Turbado, mi amanuense compañero me dijo, repitiéndome el apellido muchas veces:

—Torres, Torres, ¿qué es esto, estas palabras que te han hecho más ruido en el alma que las pasadas notas? ¿Por qué sus ecos te han mudado en pálido lo bermejo del rostro? ¡Qué notable mudanza hallo en ti de un instante a otro!

—Pluguiera a Dios —dije yo— tuviera tal mudanza que no me conociera el mundo. ¿No quieres que me sobresaltase una voz que, informada de mis propensiones, con verdad acusa mis delitos? Yo he parecido humilde, y estoy de la soberbia poseído. Nací, como todos, propenso al amor proprio, enamorado de mis locuras. Engañáronme las falsas voces que desde el oído abrazó mi voluntad; no supo el juicio desecharlas y se han apoderado del interior. Triste de mí, que ya siento el mal e ignoro el remedio; que para desarraigarlo tiene ya las raíces muy profundas.

—Consuélate, amigo —me dijo—, y no pronuncies disparates. Remedio tienes, que te lo remite el piadoso difunto en este pliego. Instruye el alma en sus meditaciones y practica sus consejos; que, si son como esta carta, no dudo que desde la primera aplicación empiecen a desmoronar de tu interior las raíces de los vanos estudios en libros que hasta hoy has contemplado. Trabajo te costará olvidar sus ideas, pero lo conseguirás no desmayando en la tarea.

—¡Ay, amigo, qué cobarde que me tiene y qué postergado la arrogancia del mundo y la falsa noticia de sus tratos! Guió los pasos primeros de mi juventud la perniciosa política de las que llama el mundo habilidades (que son preparatoria y convocación a vicios). Gusté de los desenfados del baile, de las alegrías de la música, de los empleos de las musas, solo dedicado a las huelgas y juntas donde concurrían otros de semejante calibre. Si estudiaba, era solo lo que pudiera ganarme[313] mentidos aplausos. Y, necio mil veces, creía que con impresionar en una conversación mis voces era el mayor lauro de mis hazañas. Y a ti, que te hallas solo conmigo, descubro mi pecho y las necedades de mi capricho. Si estudié Astrología fue por considerar los pocos que hollaban esta senda y, viéndome en ella, los mortales me creerían peregrino, pues el número de los pocos caminantes me haría a mí más reparado. Y si hubiera elegido otro estudio, corriera con todos sin especial atención. ¡Válgame Dios, qué loco, qué necio y qué ignorante que he sido! Yo procuraré enmendar los pasados devaneos. Y si Dios me concede lo que días ha le pido, me he de reír del mundo y de los que hoy viven y vivieron de sus escritos, de sus pensamientos e ideas, como yo lo estoy haciendo de las mías.

—Muy místico estás —dijo mi amigo—. No duren más en mí los apetitos que la santidad en tu genio. Ni tanto ni tan poco —prosiguió—. Vive con cordura. Aplícate, como te dice este glorioso difunto, a leer los Santos Padres y aparta el genio de los libros inútiles. Y las demás cavilaciones, inténtalas, pero no las publiques; y más a mí, que te conozco desde los catorce años de tu edad.

—Mis proposiciones son fatales en tu crédito —le respondí—. No sospechas de mí nada bueno.

—Porque lo eres tanto lo digo yo —dijo él—. Tu genio es dócil y no tienes más voluntad que la que te comunica el que te trata. Tienes muchos amigos, te has llevado la estimación de la corte; y aunque tú quieras retirarte a tu cuarto, ni te lo permitirán los que bien te quieren ni tú te sabrás negar a sus voces.

—El tiempo lo dirá, no me prediques, que bastantes confusiones padezco. Ahora dame esos avisos. Los meteré en mi corazón, que no quiero que se queden papeles de esta casta entre los demás pliegos que hemos arrimado. Y ahora escribe; aunque yo no sé cómo responder a este bellísimo escritor.

—Será preciso —repitió mi camarada— darte por concluido y responder con humildad, que así has de negociar mejor. Y así, en nombre de Dios, di; que ya está dispuesto el papel.

---

[313] *ganarme* en *P* y *S2*. *S3: amarme.*

Respuesta a un muerto
que vivió como que había de morir,
de Don Diego de Torres[314]

Recibí su carta, desengañador mío. Y, abrazando con el
alma su contenido, besé la firma y veneré el corazón lo divino de sus caracteres, dejando sus voces tan cristiana disposición en mis potencias que he logrado ver impreso en el
alma lo escrito.

Fuera loca detención pararme a cavilar en el escritor, olvi-
dando los dichosos consejos del dictado. Aunque no te perdono, hermano mío, la impiedad de esconderme tu nombre,
pues me tiranizas la gloria de saber a quién debe mi fortuna
el más feliz de los desengaños. Con próvido recelo te recatas,
y me confunde más el modo con que te ocultas.

La hinchazón de mi soberbia es tan conocida que no puede negarla mi necedad. Vicio es que no supo la hipocresía
disimularlo. Erró mi vida desde los principios la carrera de
sus direcciones; y fui tan infeliz que, aun llevado de muchas
señales, desmayaba en los caminos. Y, torciendo los pasos,
me visitaba la noche en las laderas del destino, no encon-
trando mi ceguedad caminante que me pusiese en la senda
del vivir.

Pasé los años en dañosas fatigas, los meses en vanas tareas,
los días en impertinentes estudios y todo el tiempo en pecados. Veinte y ocho años me ha permitido Dios que viva en el

---

[314] Título de *P* y *S2. S3: Respuesta al muerto que vivió como que había de morir.*

mundo[315], y desde que empezó a desembozarse el albedrío empezó a tener canas el desorden. Los años de la cuna los gastó la asquerosa crianza; los de niño, la pesada tarea de la cartilla; los de mozo se los sorbieron los vicios. Ya conozco que nunca mandé sobre mí. Todos se agarraron de mi voluntad. ¡Válgame Dios! ¡Y qué tarde me recobro, cuando espero menos vida que la ya malograda! Sírvame de disculpa, hermano mío, esta confusión, pues no tiene otra salida mi ignorancia.

Debo a tu piedad el santo consejo de la divina lección de los Padres Doctores de la Iglesia. Confieso que siempre la tuve por medrosa y difícil; pero, ya desengañado, prometo no leer más hojas que sus devotos escritos. Otra fuera mi gloria si en el mundo hubiera logrado este aviso. Quizá fuera hoy menor[316] mi tormento. Pero sentido tuve; yo me aparté, yo lo lloraré. Ruega por mí a Dios.

No me deja el interior pesar escribir los sentimientos del alma. Tiéneme sobrecogido la culpa y enajenado el justo cargo. Sin orden siento el pulso[317], sin ley el racional compuesto. Ni uno anima ni otro alienta. Yo me doy por concluido a tus voces. Solo te pido que mires el desconsuelo en que me veo y que ruegues por mí a Dios, quien te aumente la gloria y a mí me dé la que espero: gracia.

De mi cuarto, hoy por cuenta eclesiástica 3 de mayo de 1725.

---

[315] Pongamos treinta y uno, y no se hable más.
[316] *menor* en *S3. P* y *S2: menos.*
[317] *el pulso* en *S2-S3. P: al pulso.*

—Así te quiero yo, y así te quiere Dios: confuso, horroriza-do de tus descuidos. Mucho me pesa verte quebrantado, mas me consuela contemplarte advertido. Vuelve en ti, para volver tan otro que solo vuelvas para Dios. Vamos, amigo mío.

Así me animaba mi huesped, porque sin duda le asusté[318] con la bajeza de mi color y el desconsuelo de mi espíritu. Yo no dejé de alentarme. Porque los deliquios que provienen de espirituales reconocimientos, aunque enojan al apetito, hala-gan con especial dulzura a la razón y siempre alientan al áni-mo. Y conociendo que no había firmado la carta, le dije:

—Tienes razón. Doyte las gracias de que con tanto gusto desees en mis sustos, que empiezan en penas y mueren glo-rias. Y ahora deja firmar esta última dichosa carta; y tú sobres-cribe las escritas, para que las tenga prontas el lagañoso estu-diante, a quien perdono el primer susto por el dulce consue-lo de este último desengaño.

Firmaba yo y ponía cubiertas mi amigo, cuando asoma por las puertas el escolar pilongo (aquella cara en triángulo, que parecía aceitera al revés o manga de colar bebidas)[319], a dar nuevo horror a mis ojos y terrible susto a mi cobardía. Y lle-gándose (lo jurara) a mi bufete, cogió las cartas y, barajándo-dolas todas, arrugando el ceño, nos clavó los ojos a los dos y dijo:

—¿Paréceos (con los dos hablo) que no escuché la nota y conversación de estas cartas? Todo lo oí, y me avergüenzo de que no se haya confundido este astrólogo al verse tan justa-mente acusado. ¿Qué mortal recibiera esta pesadumbre que

---

[318] *S2-S3: le asalté.*
[319] *S2-S3* suprimen el paréntesis.

no clamara al cielo mil perdones? Y él, con fresca resolución, responde desahogos. La carta última no necesito llevarla, que ya sabe lo que tiene respondido. Y si a los demás escribiera con el mismo menos inmodesto estilo, yo las condujera; pero, aunque malo, no he de ser embajador de sus disparates. Y pues ha tenido valor para dictar con la pluma tales descomposturas, veamos si a boca[320] es hombre de hablar con los muertos. Y el camarada bajará también a sus cavernas[321]; pues le ha trabucado el miedo en que yo le dejé, persuadiendo con sus bachillerías a sus ignorancias de que eran burla estas verdades.

Los dos nos asustamos, y el rostro empezó a bañarse en lágrimas y chapuzarse en pegajosos sudores. Y tragándome la mitad de las palabras y empujando al aliento, volví a mi amigo y le dije:

—Bien decía yo que no era chasco. Mira, por ti padezco esta tormenta, por ti nos llevan a lagos nunca conocidos de nuestros ojos. Yo borraré lo dictado, señor estudiante, y mudaré de más cobarde estilo —le dije lleno de susto—. En manos de vuestra merced está dejarme enmendar estas respuestas, pues no ha cumplido el plazo de los tres días que por orden de los muertos se me ha permitido.

—Yo no creo —dijo— ya en sus palabras. No enmendará su genio voluntarioso. Y así, ¡vengan!

Y cogiéndonos a cada uno debajo de los dos cuarterones descomarcados de sus brazos, y desmoronándose la que parecía bayeta de sus hábitos y era negro carbón del chamuscado destrozo de su incendio, nos llevó (lo jurara), arrastrándonos los pies, por una rotura pasadizo a unas bóvedas, donde sin orden se arrinconaban infinitas enlutadas cajas. Era lugar húmedo, tenebroso, entapizado del horror. Y apenas pisamos su lobreguez, cuando me sentí sin el maldito escolar y sin mi amigo, en un silencio tan profundo, que más me horrorizó lo callado que la funesta oscuridad de aquellas grutas. Suspenso, frío y fuera de mí[322] estaba padeciendo las molestas suspensio-

---

[320] *a boca:* de palabra y cara a cara.
[321] *S2-S3* omiten *también.*
[322] *P: frío, fuera de mí.*

nes de mi fantasía, sin saber si estaba sepultada mi vida para la eternidad[323], cuando de repente siento que los huesos se empiezan a dar unos con otros, y a soltarse los cascos y canillas por aquellos paredones. Yo, huyendo de la tormenta de huesazos y cascotes[324], ya me encogía, ya procuraba a tientas buscar un rincón donde guarecerme o una rotura donde sepultarme.

Fue tal la brega que yo tuve conmigo que, desgreñado, chorreando azumbres de pegajoso sudor, encendido con el agitado movimiento de la aprensión, desperté en mi cama fatigado, la ropa en el suelo, la sábana por golilla[325] y la camisa despedazada de las vueltas y revueltas. Y, cobrado ya, me dije: ¡Admirable friolera! No obstante, empecé a hacerme cruces[326] y a melancolizarme con la especie del letargo[327]. Porque he oído decir a los médicos que los sueños crueles y horrorosos son avisos de la prevenida enfermedad o pronósticos de la cercana muerte. Será lo que Dios quisiere.

Despertó mi huésped y abrieron los ojos otros dos amigos que se sirven de mi cuarto (que a tanto se extiende la casa del gran señor que me sufre)[328], y empecé a contarles el sueño. Y diciendo uno que esta fantasía era merecedora de que la lograsen todos, yo, que para escribir no he menester que me rueguen mucho, tomé la pluma por dar gusto a mis amigos y divertirme yo[329].

Si a ti, lector, no te complace, paciencia[330]. Yo no te obliga-

---

[323] *P: para siempre.*
[324] *S2-S3: de los huesazos... cascotes:* cráneos o calaveras grandes.
[325] *P: por corbata.*
[326] *S2-S3: y cobrado ya, empecé a hacerme cruces.* Lo omitido es importante, pues revela la reacción del personaje. Recuérdese que *friolera* es «Dicho o hecho de poca importancia y que no tiene sustancia, gracia ni utilidad alguna» *(Aut.).*
[327] En *P* falta *con.*
[328] El gran señor que lo hospedaba en su casa era el marqués de Almarza, como se comprueba en la Dedicatoria de la primera edición (véase Apéndice).
[329] El comienzo del párrafo cambia en *S2-S3: Abrieron los ojos dos amigos que se sirven de mi cuarto, y mientras llegaba la hora de entrar el chocolate empecé a contar el sueño; admiráronse de él, y dijo uno que esta fantasía era merecedora...*
[330] *P* añade: *ya no tiene remedio, ya ha salido.*

ré a que la compres[331], pero a lo menos las gacetas y los ciegos te la han de encajar, que quieras que no quieras[332].

Y así, amigo, conformarse, porque yo no puedo servirte en dejar la pluma; porque será cortarme los vuelos[333].

Todo lo sujeto a la Santa Madre Iglesia Católica Apostólica Romana[334].

---

[331] *S2-S3: lo compres,* seguramente por concordancia mental con 'libro' o 'impreso'. Pero el antecedente gramatical, aunque lejano, es *fantasía*.

[332] La *Gaceta de Madrid* insertaba regularmente anuncios de libros. Los ciegos, como es bien sabido, vendían de forma ambulante publicaciones populares (la literatura o pliegos de cordel).

[333] *S2-S3: quitarme los vuelos.*

[334] Este colofón de *P* desaparece en *S2-S3,* sustituido por la palabra *FIN.*

Apéndice

DEDICATORIA Y PRELIMINARES
DE LA PRIMERA EDICIÓN

A LA EXMA. SEÑORA,
MI SEÑORA,
DOÑA LUISA
CENTURIÓN FERNÁNDEZ DE CÓRDOBA BORJA Y COLOMA,
marquesa de Almarza y de Flores, de Ávila, etc.

Desde que hubo césares se cuentan nobilísimos centuriones, y no hubo centurión que no fuese un césar. Poco después que el mundo, empezó su nobleza, y el Rey de los Reyes, Cristo, confirmó su ejecutoria.

De este tronco, libre hasta hoy de ilegítimas hojas y bastardos frutos, es V. Ex. floridísima rama, a cuya sombra mendigan luces encumbrados laureles para huir las tempestades de la envidia. Y dichoso el que se acerca a tan buen árbol, que con su sombra deshará los comunes nublados de falsas noticiosas impresiones.

En este retrato de la nobleza de que es V. Ex. fiel traslado, las líneas de los lejos se tiraron con pinceles de luz, las sombras con rayos del sol y el colorido con miñaturas de gloria; conque a todas luces es V. Ex. noble, sin que el destrozo de los siglos ni el rigor de los tiempos hayan podido impresionar el menos decente borrón.

Depositó el cielo también (que es el que reparte la nobleza del alma) en la de V. Ex. el aviso y discreción y otras innumerables que no le está bien a mi pluma describirlas, por no ajarlas. Que, aunque Fidias nos enseñó a decir grandezas en una demostración sola (cuando para copiar un gigante dibujó solo un dedo), en mí, señora Exma., no hay este arbitrio; que la menor gloria de las que contemplo en V. Ex. y conoce el mundo no cabe en el campo de la imaginación.

Solo puedo decir que no hay virtud en que V. Ex. no toque los últimos grados de la perfección. Y para que a tanta luz no la empañasen materiales vapores, próvido el cielo le dio a V. Ex. todas las gracias de la fealdad sin las desdichas de la hermosura, y todas las apariencias de beldad con el donaire que comúnmente vemos negado a la belleza.

El que logra la dicha de contemplar en V. Ex. hallará una señora entregada a la devoción, poseída de la caridad y en todo linaje de virtud copiosa. En su casa, risueña, graciosa, respetable, alegremente modesta y ejemplar; y así logra V. Ex. una familia (aunque tan grande y dilatada) unida y virtuosa, viviendo todos gustosos y aplicados al cumplimento de sus destinos; lo que me tiene no poco confuso y admirado, ver que se logre tanta quietud en comunidad tan dilatada, que de las más religiosas no se contaran tan sucesivos los sosiegos.

Tirano fuera de mi fortuna, si llegara con este sacrificio de mi rendimiento a salpicar otras aras. No me acobarda el don por pequeño, pues las soberanías solo distinguen veneraciones; ni me desalienta la miserable suerte mía, pues llego con la recomendación del marqués mi señor, quien ha querido darme honra en su casa. Y esta consideración me anima sobradamente, pues me hace creer el amor que V. Ex. le tiene, que no despreciará a quien como a mí llegare a sus pies recomendado. Y solo deseara que ya que el marqués mi señor ha querido mantenerme en su casa, no sea para destinarme ocupado, que así comiera con menos vergüenza su pan y doblara mi vanidad sus seguridades.

No me permite la ambición de esta honra dejar de hacer este sacrificio. La obligación de siervo de todos modos me precisa. Todas las tareas de mi pobre ingenio son de V. Ex., porque, como criado de la casa, mis fatigas son de los dueños. Y cuando la ingratitud quisiera imprimir en mí sus cualidades, nunca me lo permitieran mis obligaciones. Y sepa

V. Ex. en esta leve expresión lo obligado y reconocido que estoy a sus honras, suplicándole a V. Ex. perdone lo humilde del sacrificio por lo poderoso de la veneración.

Nuestro Señor dé a V. Ex. larga vida y mucha salud.

De esta de V. Ex. Madrid, y junio 24 de 1725.

B.L.P. de V. Ex. con la veneración que debe su S. y L. C.

Diego de Torres

CENSURA DEL PADRE CARLOS DE LA REGUERA, DE LA SAGRADA COMPAÑÍA DE JESÚS, COLEGIO IMPERIAL DE MADRID

He visto el papel que de orden del Consejo se remite a mi censura, intitulado *Correo del otro mundo al gran Piscator de Salamanca, y cartas respondidas a los muertos por el mismo Piscator don Diego de Torres y Villarroel*. Y aunque es verdad que don Francisco de Quevedo, aquel festivo cuanto sutil ingenio de nuestra España, nos quiso hacer en creyentes (frase suya) que también los muertos tenían por allá sus conversaciones en los sepulcros, y que acostados en los eternos lechos hablaban a escuras y discurrían a tientas, entendiéndose a coplas y aun a romances con los vivos, no obstante yo siempre había estado en que el lenguaje e idioma de por allá era muy otro del nuestro, y que el estilo de los muertos era tenebrosamente oscuro, lánguido, desmayado, caído y flaco, como de quienes están tan en los huesos. Pero ahora me ha hecho ver don Diego de Torres en las cartas que nos presenta, y dice que le han escrito los respetables muertos que nombra, que tienen también los muertos sus vivezas; y entre las melancolías del horror en que están envueltos, gastan sus chanzas nada mohosas y sus chistes nada rancios, no obstante los vapores del estigio lago y las húmedas lobregueces de las cavernas en que yacen, tan expuestas a uno y otro. Veo en ellas que se enardecen también los fríos huesos y tienen sus fantasías las descarnadas calaveras, siendo vanas, además de estar vacías y pudriéndose de varios modos.

196

Confieso que cuando oí el título de *Correo del otro mundo* juzgué que eran cartas de Indias las que traía, y me alegraron no sé por qué, pues no espero de allá cosa de importancia. Y es que naturalmente son bien recibidas por acá las letras de aquellos parajes y son corrientes en el comercio humano. Pero no puedo negar que cuando reconocí que eran no solo del otro mundo, sino de la otra vida, me sobresalté, y mucho, no obstante que yo temo más a los vivos que a los muertos y no me curo de guiñapos, porque esas cartas de por allá traen siempre malísimo sobrescrito. Y aunque el refrán dice, y por él dicen todos, que no quieren cuentos con serranos, yo, si he de decir la verdad, más los quiero con ellos que con los de los hondos y profundos valles, tan cercanos del infierno, donde los que los ocupan saben más que los diablos, o a lo menos tanto como ellos.

Pero cometiéndose a mi censura estas cartas que don Diego dice que recibió por el correo extraordinario que nos pinta, debo decir que, aunque vienen de región inficionada y de país malsano, pueden pasar, y más no trayendo porte, que es lo de menos en las cartas de ahora; y pueden, sin riesgo, andar en las manos de los que, camaleones de novedades, se sustentan del aire de los que fingen. En ellas hallarán unos consejos muy sanos que dan los que murieron de no estarlo, y aun de no serlo, y oirán hablar los muertos no solo por los libros, en cuyos cuerpos nos dicen los discretos que están las almas de sus autores, sino por cartas que hablan, porque ha mucho tiempo que callan y callarán eternamente las barbas de los que las escribieron.

En las respuestas que don Diego les hace, dijera que le había bebido enteramente el espíritu a Quevedo, si fuera verdad que se beben los espíritus, en aquella fuente que nació a patadas, porque entonces se graduó también de bachillera, cuyo numen dicen que refresca los ardientes genios y fecunda humedeciendo los secos celebros de los poetas que duermen poco, pero sueñan mucho. Él responde fresca pero vivamente, porque sepan los señores muertos que también por acá en nuestra tierra hay quien sepa decir dos verdades aun a los que están en la tierra de la verdad y que han hallado la horma de su zapato, que se la dejarían por acá, como allá andan descal-

197

zos. El Piscator de Salamanca (que no pueden negar que es muy vivo) les sacude muy bien el polvo; pero ¿quién les mete a los muertos en levantar polvaredas, revolver cenizas y desenterrar huesos de nadie? Tengan ellos paz con los suyos y no anden enviando cartitas escritas con tizones para despertar a quien duerme; y así, no oyeran lo que no quisieran oír y lo que les ha dicho un palmito de la calaverna.

Por esto; porque no hallo cosa reparable por lo que mira a mi censura, y porque es bien que todos tengan el buen gusto de lograr el sainete, la discreción y festivas expresiones de este papel, juzgo que se le puede dar licencia para que sueñe recio, publicando las especies y fantasmas que le inquietaron dormido, y para que dé a luz hasta las sombras.

De este Colegio Imperial de Madrid, hoy viernes 4 de mayo de 1725.

I H S
Carlos de la Reguera

DICTAMEN DEL R. P.
FR. FRANCISCO DE TOBAR PONCE DE LEÓN,
DEL ORDEN DE LOS MÍNIMOS
DE SAN FRANCISCO DE PAULA,
LECTOR DE TEOLOGÍA Y CORRECTOR
QUE HA SIDO EN SU COLEGIO DE SALAMANCA

Por mandado del Ilustrísimo señor Don Silvestre García Escalona, obispo de Salamanca, del Consejo de su Majestad, etcétera.

Se me entregó por la posta un pliego, que el sobrescrito decía: *Correo del otro mundo al gran Piscator de Salamanca, y Cartas a los muertos respondidas por el mismo Piscator don Diego de Torres y Villarroel.* Y cuando yo el sobrescrito del pliego de este extraordinario correo leí, me admiré de forma que puedo decir lo que a otro intento Virgilio en este verso refiere: *Obstupui, steteruntque comae, o vox faucibus haesit.* O fuese en mí este efecto originado de alguna viva representación de la muerte, porque muerte imaginada enajena también, como la corporal de los sentidos, a quien en la muerte imagina, según que de ella dijo el gran latino y en sus confesiones el santo Doctor de la Iglesia Agustino: *maculisque trementes interfussa genas, o pallida morte futura.* O porque consideré la rara inventiva de que haya ingenio tan agudo que llegue a fingir el que los muertos se cartean con los vivos, cosa hasta ahora de pocos o ninguno imaginada, aunque muy bien al presente discurrida en este siglo tan amigo de novedades.

Yo, en fin, por obedecer a su Ilustrísima, abrí el pliego para despacharle por la posta, y en él atendí que cuando el gran Piscator de Salamanca se hallaba más entregado a las delicias de Morfeo, en su imaginativa se le formó una negra fantasma que representaba ser postillón, que en su valija traía cinco cartas de cinco profesores de diversas ciencias difuntos, aunque no de cinco muertos, quejándose estos en ellas de que allá en el otro mundo tenían a cada paso continuados correos que les noticiaban muchos ultrajes que el gran Piscator hacía a sus obras, a que responde diciéndoles cuatro verdades, dándoles con ellas muy bien a roer los huesos, las que fueron verdaderas fantasmas o verdades de su fantasía, que observó una noche cuidadoso entre otras imaginaciones en que excepción halló accidentalmente la generalidad de los sueños; que si estos son ordinariamente trasladados tan verdaderos del mentiroso, cuanto mentirosos traslados, siendo en los que mienten el decir verdades accidente, por ser el no decirlas achaque. Ahora se ven (no como acontece engaño de la fantasía) sino entre las sombras del sueño, fantasmas verdaderas, dignas de que, considerándose en vela, el entendimiento, que el filósofo agente llama, las aclare y saque a la luz quitándolas su fantástica lobreguez y oscuridad, para que el mundo todo aprenda cómo en el mismo descanso se han de estudiar verdades, las que no dudo aprendió el gran Piscator a imaginar durmiendo, por hallarse este ingenio muy habituado a considerarlas despierto. Y así, de esta obra se sacará el provechoso documento de no hallarse nunca la imaginación ociosa; antes bien, cuanto más entregados los estudiosos ingenios a los placeres de Morfeo, tanto más han de tener el discurso dispuesto, para que al paso que duermen los sentidos, esté sirviendo de centinela el pensamiento. Que es tan estimable el trabajo, que parece que lo dulce del sueño se funda en la fatiga que al mismo tiempo la imaginación padece. Y así el ingenio de este corto pliego (aunque grande por lo bien discurrido, siendo de agradecer la noticia de algunas respuestas hasta aquí no imaginadas, y digna sobremanera de admirarse la novedad con que trata cosas que son de profesión ajena), cuanto más dormía, velaba más, recuperando la vida que el sueño le quitaba, quizás por no entrar en la generalidad del elegante dístico de Juan Oven:

Si mora nulla datur vitae labentibus horis
Cur ita cum longo turba sopore jacet?

Pues importa poco que duerma quien sabe velar durmiendo.

Y así, por el común aprovechamiento, como porque trabajos del ingenio no quedan bastantemente satisfechos si el universal aplauso no los premia, siendo esta la única esperanza que a un discurso trabajador le queda, como refiere el autor sobredicho: *Est labor ingratus, quem debita praemia fallunt;* como porque no hallo cosa disonante a nuestra santa fe ni opuesta a las buenas costumbres, me parece que V. S. Ilma. puede conceder la licencia que para imprimir este pliego se pide. Este es mi sentir, *salvo meliori*.

En este Colegio de los Mínimos de Salamanca, hoy domingo veinticuatro de junio de 1725.

Fr. Francisco de Tobar Ponce de León

Nos, don SILVESTRE GARCÍA ESCALONA, por la gracia de Dios y de la Santa Sede apostólica, obispo de esta ciudad y obispado de Salamanca, del Consejo de su Majestad, etcétera.

Por la presente, y por lo que a Nos toca, damos licencia a cualquier impresor de esta dicha ciudad para que, sin incurrir en pena, pueda imprimir un papel intitulado *Correo del otro mundo al gran Piscator de Salamanca, y Cartas a los muertos respondidas por el mismo Piscator don Diego de Torres y Villarroel*, respecto a estar reconocido de nuestra orden por el R. P. Fr. Francisco de Tobar Ponce de León, lector de teología y corrector que ha sido del Colegio de Mínimos de esta ciudad, y por su aprobación consta no tiene cosa contra nuestra Santa Fe y buenas costumbres.

Dada en nuestro palacio episcopal de Salamanca a 6 de julio de 1725.

Silvestre, Obispo de Salamanca

Por mandado de su Ilma., el obispo mi señor.

Don Josef Lucas Rodríguez
Sec.

Sacudimiento de mentecatos

SACUDIMIENTO
DE MENTECATOS,
HAVIDOS, Y POR HAVER.
RESPUESTA
DE TORRES
AL CONDE
DE MAUREPAF,
FISCAL DE LA ACADEMIA
DE PARIS,
Y DE CAMINO,
es Carta à todos los Fiscales de sus obras.

Con licencia: En Madrid, en la Imprenta de
Don Gabriel del Barrio.

Hallaràse en la Libreria de Fernando Monge, frente de San Phe-
lipe el Real.

Aprobación[1]
del M. R. Padre Sebastián Manuel
de Acevedo, de la Compañía de Jesús

M.P.S.

Que cada uno se defienda cuando por fas o por nefas le acometen y que se queje cuando le castigan es acción tan natural, que con el instinto solo tienen sobrado los brutos para hacer justa su defensa y su queja calificada. Dígolo, Señor, porque habiendo visto como V. A. me manda un papel intitulado *Respuesta de Torres al Conde Fiscal,* veo una defensa de Torres que debo calificar por justa, porque leo, no sé si justamente acometido. Es verdad que no escucho queja alguna, señal que no se siente herido y señal de la grandeza de Torres, pues, como decía Séneca, lib. 3 *de Ira.* cap. 25, *Proprium est magnitudinis verae non se sentire percussum;* antes bien, hace burla de su contrario para provocarle, quizá, a nuevas ingeniosas contiendas.

Desde París parece que le cascan, y él casca desde Madrid. Esto solo es *dar, que van dando;* conque, siendo cierto que *donde las dan, las toman,* mutuamente se irán tomando lo que se fueren dando mutuamente, y ninguno quedará quejoso. No temo que corra sangre, pues el conde está en Francia y en Es-

---

[1] Aprobación y licencia se incluyen solo en *P.* La licencia va situada al final, tras la carta-prólogo que sigue a continuación y que, con su posdata incluida, aparece en *P* y *S.*

paña el señor Torres, si no es que en algún otro *Viaje fantástico* se presente en París su fantasía, y aun entonces serán los golpes fantásticos.

No contiene este papel cosa contra las regalías de su Majestad (que es lo que me mandan decir), pues no creo es contra ellas el que anden los ingenios a moquetes intencionales; por el tanto, se le podrá conceder licencia para que salga a la luz pública, que es el modo de estrecharse y meterse en prensa los contrarios, que como no se tiren con otra munición que con balas de la imprenta, no hay que tener miedo de que se maten. Este es mi parecer (salvo) en este Colegio Imperial de Madrid, a 25 de febrero de 1726.

Sebastián Manuel de Acevedo

LICENCIA

Tiene licencia don Diego de Torres para imprimir y vender un papel intitulado *Respuesta de Torres al Conde Fiscal,* como más largamente consta de su original. Despachado en el oficio de don Baltasar de San Pedro Acevedo.

Don Baltasar de S. Pedro Acevedo

Al amigo que le envió
la censura del *Gallo español*[2],
le vuelve Torres, con su respuesta,
este billete

El papel que vuestra merced me envía no tiene cosa buena, sino estar escrito contra mí. Los reparos del maestro fiscal en mi obra son muy materiales, y con lo que pensó derribarla la deja más firme, porque no es obra segura la que no está bien reparada. Ya creo que soy dichoso, pues mis contrarios me labran la fortuna. Dígolo, porque el dinero que hice de mis calendarios lo gasté, y estaba ya como casa de duendes mi bolsillo; y ahora me llega el socorro de España con la furia francesa.

He respondido breve por no detener al volante Pedro de Frades[3]. Pida vuestra merced licencia para la impresión al Real

---

[2] Sobre este opúsculo de Torres y la polémica que dio lugar a *Sacudimiento*, véase Introducción.

[3] Pedro de Frades fue quien, «suplantando» al conde de Maurepas, de la Academia de Ciencias de París, había publicado una crítica de *El gallo español* de Torres: *Censura que el Conde de Maurepas, fiscal de la R. A. de las ciencias, hizo del tratadico impreso en Madrid en octavo, cuyo título es: El Gallo Español... Sácala a luz Pedro de Frades, vecino del lugar de su apellido, Volante académico del Orbe* (Madrid, Imprenta Real). Como se comprobará en estos textos preliminares, parece que Torres creyó en un principio que la crítica venía efectivamente de París. En cuanto a *volante* (lacayo que, a pie, acompañaba a sus señores en los desplazamientos o hacía de recadero), función que, previa dignificación «académica», el propio Frades se adjudica en el título de su escrito, parece que Torres le devuelve al término sus connotaciones peyorativas.

Consejo (que yo nunca he sido contrabandista de sátiras); y, concedida —que no lo dudo de sus doctos ministros, porque mi respuesta solo habla mal de mí, y yo me lo perdono—, se le entregará; y no le dé vuestra merced el porte, que ya va bien despachado, y en París tomará las albricias del fiscal. Y ruegue vuestra merced a Dios que no nos falten hediondos que nos den a vuestra merced que hacer, y a mí que cobrar, y a todos que decir.

Sirva este que escribo de prologuizar al lector (si a vuestra merced le parece), y si no, que salga la respuesta del fiscal desnuda, que yo no estoy obligado a vestir con un prólogo a cada papel.

De los primeros cuartos que nos vengan cuide vuestra merced de socorrerme; que, aunque estudiante mozo y sin familia, no me faltan obligaciones; y a lo menos, la de servir a vuestra merced y rogar a Dios por su salud y vida la tendré siempre.

De la casa de un amigo, donde me cogió esta tempestad. Madrid y febrero 28 de 1726.

De vuestra merced, siempre,

Diego de Torres

Al tiempo que firmaba este papel, vi echado sobre el bufete en donde yo escribía aquel gracioso amigo Sánchez[4] (que, ya notando mi detención, me buscaba). Oculté el pliego, y en mi cuidado se despertó su curiosidad. Fue preciso decirle que esta censura era de participantes, pues también descomulgaba a su ingenio. Diole un flujo de risa que aturdió a los otros amigos de la tertulia en donde a nuestro gusto nos holgábamos. Atraídos todos de la novedad, se leyó el papel del fiscal y mi carta. Uno de ellos me dijo en secreto que esta censura no estaba hecha en Francia, que conocía al ingenio.

---

[4] El personaje aparecía en la introducción a *El Gallo español*. Torres lo presenta como un amigo dado a las bromas, Don Josef Sánchez, «paje de cuenta, por su sazonado humor», músico de profesión («bajón y oboe de la capilla del rey»). Él fue quien le informó del anuncio publicado en la *Gaceta de Madrid* sobre el concurso convocado por la Academia de Ciencias de París, le insistió para participar en él y colaboró con algunas observaciones de su propia cosecha.

—Pues débame la modestia el anónimo de callarlo —respondí—; y sepa la Academia que nunca creí de su seriedad y acierto tal desatino. Y así, mi respuesta es bailar solo al son que me tocan.

Sánchez, que no dejó de reír, dijo (encargándome que mande vuestra merced imprimir esta pregunta):

—Sea el anónimo o sea la Academia, diga vuestra merced a su librero que yo tengo pasión a los gallos; y que, después de impreso el tratadico, he observado más razones acerca de este punto, que las diré si la Academia me responde a esta otra pregunta que, como músico, es del tenor siguiente: ¿Por qué el gallo capón canta en bajo y el gallo entero en tiple, siendo contra todo el natural que los castrados (como lo vemos en el hombre) canten en bajo? Y en resolviendo la Academia, o el anónimo, esta duda, la premiaremos con otro tratadico, para que se haga con caudal y luego nos imprima un libro de a folio de razones diciendo que son suyas.

Vuestra merced me haga el favor de mandarlo imprimir así, como lo dice Sánchez. Y guarde Dios a vuestra merced.

Torres

Respuesta de Torres al Conde Fiscal, y de camino es carta para los fiscales todos de sus obras[5]

MADRID; ESTAMOS, A DIOS GRACIAS, EN FEBRERO 28 DE 1726

Yo, muy señor mío, bailo la noche que encuentro con quién. A las melancolías del humor negro las aburro con la guitarra. Me confieso algunas veces al año, y dejo barrido el interior de veinte pecados rabones y cuatro culpas de mala muerte, hechas, más que por las costumbres del apetito, por los rempujones de la carne, que la temo más que a vuestra merced, al mundo y al demonio. Y si en la corte tuvieran más valor las ofensas, fuera más moderado de alteraciones; pero es tierra barata de culpas.

Me acuerdo de la muerte muchos ratos, sin que me deba el menor asco su memoria. Yo me la pinto menos horrible que me la dibujan los libros místicos y me la predican los púlpitos (que estos espantajos[6] los teme el juicio conforme los consintió la primera aprehensión). Aguárdola como precisa[7], y para que no me asuste mientras vivo me copio yo a mi modo una muerte galana; que esta sea de repente, de pensado, con puñal, tabardillo, cámaras, en mi tierra o en Flandes, no me aco-

---

[5] S: Respuesta al Conde Fiscal, y de camino es Carta para otros Fiscales de todas sus obras.

[6] Corrección de S. P.: y estos espantajos.

[7] S: aguardándola como precisa.

barda, que yo tomaré la muerte que me tocare, sin meterme a escoger tósigos. Y si he de ser calavera de cualquiera muerte, venga la hora y el modo de morir a que estoy destinado, y *benedicamus Domino*. No discurro en entierro, que este me lo ha de pagar otro. ¿Misas? Si por casualidad (que lo dudo) dejare monedas, las mandaré rezar; y si puedo irán delante, que esto es avisar al purgatorio que me espere; y cuando esto no suceda, copiosísimo tesoro tiene nuestra Santa Madre para remediar las hambres católicas.

No temo a los difuntos, a los duendes ni a las brujas. Toda esta gente ha de menester licencia de Dios, y se la recatea su Majestad de continuo. Un difunto es un desengaño que aprovecha. El duende es un entretenimiento que me arrulla con sus chanzonetas; y duende ha habido que me sirvió algunas noches de almendrada[8]. Las brujas son cuentos viejos. Mi padre (Dios le dé vida) tiene más de setenta años, y todo este tiempo ha que blasfema de ellas, y dice que ninguna le ha chupado.

No soy marido, que no me gusta religión sin noviciado, y fui siempre medroso del refrán que dice: «Antes que te cases...»[9]. Y aunque la almohada me propuso muchas veces que sería bueno tener una moza que gastar y un dote con quien dormir, no me encarnó la memoria de lo hermoso, porque velaba mi libertad. Mucho rinde una consulta (de estas que pillan a un joven solo y acostado), pero pudo más en mí[10] la pasión a la vida descuidada. Danzar con todas, correr con ninguna; y a los que se mueren y se casan, encomendarlos a Dios.

No soy pretendiente, porque no quiero soltar la honra de mi mano ni desasirme de la providencia. Si los gastos todos de la vida son pan y paño, los buscaré en mí, no en otros, y sea por el primer camino que me enseñe la fortuna; de modo que si el aura popular que hoy sopla (con provecho mío) a

---

[8] Alude al episodio de los duendes que Torres protagonizó, hacia 1723-1724, en casa de la condesa de los Arcos, y que relata minuciosamente en el «Trozo tercero» de la *Vida*. Ya antes había ofrecido un esbozo en *Anatomía de todo lo visible e invisible* (1738). P. Álvarez de Miranda [1998] ha comprobado la difusión oral del episodio.

[9] Antes que te cases, mira lo que haces.

[10] *S* omite *en mí*.

mis papeles se calmase, me pusiera a aguador, que es ciencia que se aprende al primer viaje. He de buscar el alimento con Dios, no con honra, que esta es una de las fantasmas y embustes del diablo, con que nos persuade el hurto, la adulación y la soberbia. Y si por la tal honra[11] en el mundo político nos condenamos a sufrimientos más infames, ¿por qué nos ha de costar[12] vergüenza alimentarnos y entretenernos en un oficio que, porque da de comer[13] con el gusto de Dios, le llaman mecánico?

Con este sosiego, y desposado con el qué dirán, paseo la corte cuando me da la gana; me aparezco en el Prado cuando es mi gusto; huyo a la aldea cuando yo me llevo. Al ambicioso no trato; del mordaz me río; al descortés lo dejo; y solo me deben lástima las contingencias.

No gasto médico, porque mi salud vive agradecida a mi buen humor, y la buena templanza corre por las discreciones de mi dieta. Mis calendarios me pagan el vestido; mis musas me prestan cuatro reales que distribuir; el cubierto me lo costea el gran señor que me sufre, el marqués de Almarza, mi señor[14], con tan buena voluntad que sus bizarrías galantean a mis excesos.

A la fortuna no la creo, que es un duende que jamás temí sus gestos. No he conocido tal mujer; pero, si la hay, sus vueltas, sus vaivenes ni sus antojos jamás tuvieron jurisdicción en el ánimo mío. En las pretensiones llaman fortuna lograr luego, y poca fortuna al que tarda en ser acomodado[15]. Yo puedo decir que no hay más fortuna que la boca del hombre. El eco del mal inclinado, la voz del soberbio y el informe del adulador, que profanan el oído del que me ha de enriquecer, es la poca fortuna. Yo conocí esta danza, y vivo y bebo para mí solo.

Aun cuando más niño (créame vuestra merced esta verdad), nunca me enojó que Fulanilis me aborreciese ni doña Diferente me desairase. A mi rincón marchaba tan airoso con

---

11 S: y por la tal honra.
12 S: nos han de costar.
13 S: que comer.
14 S omite el marqués de Almarza, mi señor.
15 S: tarda ser acomodado.

sus favores como con sus ceños, que para sus caprichos siempre tuve las alteraciones difuntas. El espíritu está hecho a resistencias, el cuerpo a desazones y el ánimo a tontos; y ya me hallo entre los sustos y las necedades como si las hubiera parido. Nada me enoja. Si el vecino es soberbio, que se muera; si envidioso, que se pudra; si murmurador, que muerda en más blando. A mí solo me toca gemir mis males; el pecado ajeno, que lo llore su amo, o no lo llore. Yo he de cuidar de mi alma y el vecino de la suya. Si viviera Epicteto, le buscara para darle mil abrazos, porque me dejó en su escuela el estudio de las seguridades. Contemplar en mí me manda en su filosofía; y gozo tanta salud con esta ciencia, que no pasa hora en que no brote alegrías el interior. Cuando yo hacía versos, en ocasión que me quitaron el comer, escribió (por aliviar las porfías de la fortuna) mi conformidad este

SONETO

Que me robe lo justo la violencia;
que se explique el coraje vengativo
y que el odio se enoje, no es motivo
para que yo desprecie mi paciencia.

De la envidia la bárbara influencia
con risa burlo y con semblante esquivo;
que en no hacer resistencias a lo altivo
funda mi condición la resistencia.

A justos manda Dios, y a pecadores,
que todos coman lo que el rostro suda.
¿Y otro glotón me traga mis sudores?

Tiénteme la ambición, la rabia acuda,
que a despreciar codicias y furores
Epicteto me enseña y Dios me ayuda.

En fin, amigo, ya tengo muchos callos en la paciencia, y la sangre tan fría que para calentarse en los vasos necesita del fuego de la fiebre. Y a estas llamaradas de la cólera curo yo con la flema de esta otra coplita que heredé de mi abuela (que Dios haya), que me la dejó su merced para sacudimiento de necios pegajosos:

En este maldito mundo
de naide se ha de fiar;
tú por tigo y yo por migo,
y percurarse salvar.

Este es mi humor. Y para que corra más libre me ha dado
la naturaleza dos varas y cuarta de humanidad, conque dudo
que haya alma que se pasee por mejor galería. Añada vuestra
merced, señor fiscal, a estas gracias, la de ser bermejo (que desde que nací se me puso en la cabeza), narigón y pelo proprio,
y está vuestra merced informado de lo que es Torres en cuanto hombre[16]. La aventura, gobierno y destino de escritor, léa-
la vuestra merced; y si se cansa déjelo, que así hice yo con su
censura, que como he menester la paciencia para otros cuidados, no la quise despreciar en leer sus presunciones.

Soy un estudiantón entre arbolario y astrólogo, con una ciencia mulata, ni bien prieta ni bien blanca, licenciado de apuesta
entre si sabe o no sabe. Lo que no se duda es que sé hacer calendarios. En punto de estilo, noticias y coplas, estoy en opiniones;
pero yo, para mis menesteres, no necesito a ningún presumido.
Si enfermo, yo me curo; si me enamoro, yo me hago las coplas
y me riño las pendencias; si tuve algún pleito, me hice el memorial. Predicar sermones no es estudio de mi humor; conque para
mi gasto tengo lo que me sobra, para que no me engañen los
misteriosos cabizbajos, doctos de facciones, sabios de gesto, estudiantes de cejas, que su sabiduría la señalan en las arrugas de
la frente. No se me puede negar un poquito de reminiscencia,
otro tanto de manía, un gran tarazón de locura, un granito de
inteligencia y un si es no es de sabiduría; porque hay ocasiones
en que soy discreto a pesar de mis disparates.

En mi armario no hay libro que valga treinta cuartos; alguno mendigué y leí cuando estaba preso (que todo este rigor
ha necesitado mi flojedad)[17]. Mis papeles lo pregonan, pues

---

[16] Este retrato físico anticipa en esbozo el más amplio y matizado que pre-
side el «Trozo tercero» de la *Vida*.

[17] En 1717, siendo estudiante en la Universidad, Torres sufrió una breve prisión por inmiscuirse en la discusión sobre la «alternativa de las cátedras», destacado episodio de la lucha por el poder universitario entre las órdenes religiosas,
principalmente jesuitas y dominicos.

los arrojo desnudos, sin autoridad, citas, versos ni apoyos, sin más abrigo que el de mis pobres bastos pañales; porque es insufrible tarea sacudir libros y ojear folios, y este me ha parecido trabajo sin fruto; porque si el fin de citar y poner márgenes es para persuadir con otros el crédito de mis proposiciones, ¡qué desatino!, ¡qué locura!, ¡qué desvanecimiento!

Vive sin cien defensores. ¿Qué opinión no tiene mil apasionados? No hay cosa cierta. Y una que hay, que es nuestra Santa Fe, tampoco está libre de contrarios; pues siendo verdades infalibles las negó Lutero, las maltrató Calvino, no las confiesan los moros y las aborrecen los judíos. Y si he de hablar a vuestra merced con confianza, más me inclino a bailar, reír, pasear, ver la comedia y acompañar a mis amigos, que al recogimiento, la abstracción, retiro y estudio, que son las partes que hacen gloriosos los genios. Nunca soñé en docto, ni tengo traza de doctor, ni soy para ello; y si lo hubiera pensado, es muy posible que lo lograra, porque el hombre es todo lo que quiere ser.

Me destinó a la corte, como a otros perdularios, la poca experiencia. Me puse a pretendiente (que es el alivio de los desesperados); comí el vestido, rompí los zapatos y a pocos meses andaba crucificando la respiración y levantando calvarios al bostezo[18]. Pero el mal oficio me desmentía, porque más sospechosa es a un pretendiente el hambre que el sueño. Perdí los días, pero gané un millón de desengaños que hoy me hacen feliz la vida. Con la panza más enjuta que yegua de vaquero, me retiraba a mi guardilla; y para huir las tentaciones del estómago y las necesidades de la carne y el pan, me divertía en leer los libros nuevos que cada semana nos da en la *Gaceta* (que es lo mismo que con la del martes). Reconocí estilos, noté conceptos e ideas, y por mi vida que no he hallado otro Quevedo que me desmaye[19], ni otro Góngora que me asuste, ni otro Cervantes que me llevase la admiración. Pues si no hay estos —dije yo—, lo que los otros hacen, que es tiznar

---

[18] Alude a la vieja costumbre de persignarse al bostezar (de hambre, en este caso). *Aut.* recoge esta acepción de la expresión *hacerse cruces:* «Frase vulgar con que alguno da a entender que no ha comido ni tiene que comer.»

[19] Lectura de *S. P: desmayase.*

pliegos y poner a parir las prensas para que aborten mons-
truosidades, ¿por qué no lo he de hacer yo, cuando tengo un
ingenio tan lujurioso como los demás? Con esta consideración y la poca experiencia (que entonces, como niño, me engañó), me embarqué en mis calendarios y me fui a remar a la
galera del impresor.

Yo no sé cómo escribo; pero una de dos: o hay muchos necios en el mundo, o yo escribo bien, porque ninguno de
cuantos viejos doctos, llenos de especies y tabaco, corren esta
senda son tan bien admitidos como mis papeles. Tanta confianza tengo en mi maña y mis tontos (que todo es uno), que
en viéndome descosido corto las plumas y a la fantasía le
pido el paño que tenga más a mano para vestirme; y me da
cien doblones más fijos que en la caja de un ginovés miserable[20]. Mi estilo no es malo para viejas, mozas y algunos aprendices de la recancanilla y el equívoco[21]. Las ideas son un moral entretenido en chanzas del tiempo, y esto con un desahogo como así me lo quiero. Escribo a lo que sale, y salga lo que
saliere. Escritor del año de doce con trompón y canto[22]. Las
reglas de escribir bien (si son las que enseña la retórica), tengo
vanidad de que las conozco; pero malos años para el puto
que las usara: no está el siglo para estas delicadezas. Tome lo
que se le escribe y dé gracias a Dios, que ni aun esto merece.

Sobre todo, señor mío, yo trabajo para salir de la vida. El
que quisiere la posteridad, que la sude (y qué sabemos si el
mundo irá de mal en peor). Por antojo de otros no he de

---

[20] Como se comprueba aquí, todavía en ese tiempo el término *genovés* era
sinónimo de 'banquero'.

[21] *recancanilla*: «Metafóricamente se toma por el tonillo afectado en el hablar, con tergiversación o vuelta en lo que se habla» *(Aut.)*.

[22] Posiblemente la explicación de esta expresión está en la alegría y celebra-
ciones populares por el fin de los combates de la Guerra de Sucesión. Tanto
Salamanca como Madrid habían sufrido sus consecuencias muy directamente, y habían pasado por la ocupación de las tropas aliadas (Madrid dos veces,
la última a finales de 1710, en medio de la hostilidad y resistencia populares).
La muerte del emperador José I y el hecho de que su heredero fuera el archi-
duque Carlos cambió por completo el planteamiento de los ingleses. Las ne-
gociaciones de paz se iniciaron en Utrecht en enero de 1712. Torres convierte en cualidad gozosa la acusación de que no respeta las normas. *Aut.* recoge
la expresión *a trompón* o *de trompón*: «sin orden, concierto ni regla».

aventurar el caudal y la cabeza. No deseo que me aprecien, sino que me compren. Dictaré sin fatiga, sin precisión, un romance claro, sin molestias del natural y sin exprimirle mucho, que no sé lo que puedo durar ni lo que me pueden escribir. (Vuestra merced me va leyendo con impaciencia, porque todo esto no es del caso. Y es así, pero aguante como yo y hágase a sufrido.)

Otras mañas tengo de escritor en el gobierno de dar a la prensa mis desatinos, y son estas[23], supuesto que yo no escribo para ganar fama, enseñar ni entretener, sino solo por dos causas, que son cuando no tengo dinero y cuando me da la gana. He cuidado mucho de no escribir contra autor señalado. Corran todos, busquen su eternidad y su fama y viva su opinión, porque esto de dictar[24] contra autor conocido es gravísimo cargo de conciencia que pide una restitución que no tiene. El que escribe contra otro, aunque sea por santo fin, le quita la honra, le atrasa la opinión, le estorba la venta o le minora la fama. Pues ¿por qué he de llevar yo a la presencia de Dios cargos que no me puede perdonar?[25]. Si quiero acreditarme, más valentía es de talento escribir sin satirizar, buscando el asunto de la obra solo en mis ideas, no en la del otro. Contradecir es fácil; discurrir, difícil; pues busco la gloria de acertar en los discursos, no en las contradicciones. Una criada me sirve a mí que replicara con un catedrático, y no sabe pasar las cuentas de una camándula[26]. Porfiar y negar es entretenimiento de sumulistas[27], tarea de necios y común desahogo de mal acondicionados.

Todo el que escribe a la pública luz va a buscar su crédito. Pues pase por mí y súplasele lo defectuoso por lo aplicado. Para mí no hay papel mal escrito (remítome a los que me tratan). Si sale un papel malo, más disculpable es escribir contra los doctos aprobantes que lo consienten, el Consejo que lo sufre y los ministros que dan licencia. Pero contra el autor, es

---

[23] *P: son estas.*

[24] Lectura de *S. P: viva en su opinión; y esto de dictar.*

[25] *S: perdonar sin la restitución.*

[26] *camándula:* «El rosario que tiene solo tres decenarios» *(Aut.).*

[27] *sumulistas:* los que aprenden o enseñan las súmulas o elementos formales de la lógica.

locura, es envidia del acrecentamiento de sus virtudes, es soberbia que persuade al amor propio que ha de valer más su dictamen que el ajeno, y es una necia pesadumbre del aplauso. Lo mal escrito, en sus hojas lleva la sátira general; corra, que él parará en las manos, ya que no del desprecio, del olvido.

Si alguno me satiriza, respondo con desenfado, no al asunto (que esto se llama cortar majaderos). Otros se sacuden, pero yo me sacudo. Mi doctrina no la quiero persuadir, porfiar ni defender. A quien me escribe un pliego, le doy una mano. Como Epicteto pedía a Dios *Plue Jupiter super me calamitates*, digo yo *lluevan papeles sobre mí*. Y en esto no tengo mérito, porque he hecho naturaleza de las malas bocas. Yo deseo que digan más, y en mis respuestas pongo más que lo que me puedan decir. Y si en Francia tuviese vuestra merced noticia de alguno que quiera escribir contra mis costumbres o mis obras, envíemelo por acá, que yo lo informaré mejor que otro lo que soy, porque vivo dentro de mí mismo y ha días que me conozco de trato.

Gracias a Dios que me voy desahogando. Mire vuestra merced qué friolera. Toda esta pintura de Torres, hombre y escritor, es solo a fin de desbaratar a vuestra merced la vanidad que pueda haber tenido de que me ha dado que sentir en su censura. Y para que vuestra merced sepa que vivo despreciando presumidos y conociendo mis necedades más que todos, ahora, en acabando dos cositas de este punto, pondré los motivos que me acobardan para no responder. Y vuelvo a decir que es mala crianza, infame política, indigno desvanecimiento y poca cristiandad escribir contra otro. Porque, si el que escribe es hombre docto, aventura su respeto; si novicio, malogra el bien de la profesión y se gradúa solo de bachiller, y si es hombre que va cobrando crédito, se oscurece su fama; porque hablando en juicio, a cualquiera contraria doctrina la miran con bascas los sabios, pues ya que por modesta se escape de desvergonzada, nunca se libra de ser atrevimiento y arrojo.

No doy cuadernillo a la prensa sin que pase por el consentimiento de los reales ministros y por la censura de los aprobantes; y con sus licencias caminan con seguridad mis desaciertos. Mi gusto es trabajar un papelillo de filosofía, un fragmento médico, un *almanak;* y de esto que llaman buenas letras, también pico en aficionado. Y en fin, solo escribo lo que pueda salir a la pública luz sin exponerme a que me nieguen la impresión, pues, perdida esta, malogro el tiempo, la moneda y el papel.

Mi nombre siempre ha ido por delantal de mis obras, porque hay bulas de sumos pontífices que dan por descomulgados a los autores anónimos. Y si vuestra merced no las ha visto, véngase a mi posada y se las echaré. Pero busque antes un cura que le absuelva, que mi madre la Iglesia me prohibe el trato con los descomulgados.

El motivo primero y más fuerte que no me deja responder a sus reparos es el poco aprovechamiento que hemos de sacar en una materia tan inútil y dudosa. ¿Qué haremos con que yo, línea por línea, vaya contradiciendo a las razones de vuestra merced? Nada. Porque ni yo ni vuestra merced ni su academia puede ni podrá (si no es por milagro o ciencia infusa) averiguar la razón *por qué el gallo canta a las doce*. Pues si no hemos de sacar una cosa, la más leve, cierta, ¿para qué fin son delirios nuevos? Si vuestra merced, o su academia, pretende apurar la filosofía en esta pregunta, desentierren a Plinio o a Esopo y háganle escribir, que dirán otras tantas majaderías como vuestra merced, su academia o Torres. Vaya un paréntesis algo largo en que probaré lo inútil de estas respuestas, y sin recurrir a siglos pasados, sino al año 1725. Oiga vuestra merced.

(El dicho año rodaron por Madrid varios papeles, y la lección de algunos acabó en palos, como los entremeses; en otros desenterraron algunos abuelos. En fin, libros sin nombres, que es bastante desdicha de un linaje no hallarle el apellido. Vino luego el expediente de las minas de Guadalcanal[28],

---

[28] Cuando escribía estas líneas, Torres estaba involucrado en la polémica desencadenada por este episodio. *Sacudimiento* está fechado el 28 de febrero de 1726. Pocos días antes, el 22 de febrero, Torres había firmado la aprobación de uno de los escritos aportados a la discusión: «Yo estaba, M.P.S., acabando de escribir a un fiscal francés, que por ciertas razones de un gallo me ha puesto para pelar...» (la referencia, en Lucas de Aldana —*Las minas de Río Tinto*, Madrid, Pedro Núñez, 1875, pág. 518—, que dio información precisa de este episodio). En junio de 1725, el sueco L. Wolters obtuvo el monopolio de

y como azogados los ingenios, unos afirmaban por delirio el instrumento; otros, por embuste la extracción de plata. Unos argüían, otros negaban y todos se disfamaron a sí mismos. Pues vuelva vuestra merced los ojos a todos estos papeles —que pasan de diez, si no los ha tragado ya el gremio de la especiería— y verá solo un coraje sin erudición, un arrojo sin noticia, un desuello sin estudio y, en fin, sátiras y dicterios sin tocar argumento contra el asunto, ni dar la más escasa doctrina que pueda servir para el gobierno de esta república interior o visible. Pues si esto es constante, y yo me conozco más necio que los que han escrito, no es razón que arroje al genio a un lago de disparates. Este es el motivo más racional que me detiene a no responder a los reparos que vuestra merced ha puesto a mi gallo.)

Cerré el paréntesis. Él es largo y quiebra de medio a medio las leyes de la retórica, pero ¿qué se me da a mí?

El segundo motivo es que no quiero emplear los días de carnestolendas en satisfacer a porfías, cuando me esperan las lícitas diversiones. Lo tercero[29], que yo no he menester glorias, y deseo que vuestra merced tenga la de poder decir que concluyó a Torres. Lo cuarto, que no es razón que dos hombres de bien nos encorajemos y que la pluma me arrastre a un precipicio. Y sepa vuestra merced que es pecado; y nuestra ley no nos consiente estos desenfados, y nos los estorba la justicia y la caridad. Yo soy católico y, por la crisma que tengo, que he oído decir que vuestra merced está bautizado; y así, no es justo que entre religiosos de un mismo hábito mezclemos las bastardas

---

explotación de las minas de Río Tinto, Guadalcanal y otras. En septiembre de ese año publicó un manifiesto en apoyo de la venta de acciones de su explotación. Fue acusado de estafa por quienes creían que el mineral era inextraíble, por estar las minas inundadas. «Diga si acompañó al célebre D. Diego de Torres en su *Viaje fantástico* y con él penetró las entrañas de la tierra. Y habiéndolo hecho, diga también si en su transmigración observó las minas contenidas en el proyecto inevacuables y sin fruto», escribe uno de los contendientes citados por Aldana (pág. 460). Parece que Torres defendió a Wolters. El P. Isla *(Colección de papeles crítico-apologéticos*, I, 87) le atribuye un opúsculo —que no ha llegado hasta nosotros— titulado *Defensa de Wolters y Minas de Guadalcanal*. Tomo las referencias y citas textuales de Mercadier [1981: 65-66].

[29] Lectura de *S. P: La tercera.*

túnicas del idiotismo y judiada[30]. Lo quinto, porque vuestra merced lo luzca sin la contrariedad de mis bachillerías. Lo sexto, por lo que vuestra merced añadiere y gustare. Y lo último, porque su cortesanía de vuestra merced merece esta salva, y porque verdaderamente escrupuliza solo en lo material de los términos; y no estoy tan pagado de mi estudio que no conozca que escribo mil errores. Lo demás es opinión. Quédese vuestra merced con la suya, que yo me hallo bien con la mía.

La censura de vuestra merced puede pasar. Escribe con mucha cortesía; no pasa renglón sin un *señor don Diego* que se lo estimo mucho, porque nadie me sabe otro apellido que *Torres* a secas o *el Piscator;* y esto de que corra mi nombre con *don* y *señor* no ha dejado de darme un tantico de vanidad; dos pliegos son muy metidos[31], y en fin, todo sirve: *Omnia quae scripta sunt, ad nostram utilitatem scripta sunt.*

Consuélese vuestra merced, señor fiscal, que su papel (aunque parece que le he despreciado) ya está sirviendo. Ya le di oficio en mi posada, y el mismo empleo daré a cuantos vinieren. Y pase la palabra[32], que lo voy a decir en el siguiente

SONETO

Todo cuanto hay escrito en lo criado
sirve para enseñanza de los fieles,
y entre moros, católicos e infieles
no hay papel que no viva acomodado.
    Algunos sirven para echar recado;
otros, de acreditar otros papeles;
unos sirven de suelo a los pasteles,
y otros, para limpiar el ojaldrado[33].

---

[30] Tanto en *P* como en *S* se lee *ideotismo. Aut.* solo reconocía ya la forma *idiotismo* («La universalidad de los ignorantes o idiotas, o las mismas ignorancias en común»). Claro que, en un alarde de «lenguaje políticamente correcto» *avant la lettre,* tampoco recoge *Aut.* el término *judiada.*

[31] Véase nota 7 del *Correo del otro mundo.*

[32] *pase la palabra:* «Frase militar, que se usa cuando se quiere que con brevedad llegue una noticia u orden desde la vanguardia a la retaguardia o al contrario; como cuando se quiere hacer alto: se dice alto y pase la palabra» *(Aut.).*

[33] Respeto aquí la ortografía del original, relevante para el juego de palabras.

Vino vuestro papel, pero mi estante
le escupió de su honrado frontispicio
por necio, mal limado y mal sonante.
Mas yo, que deseaba darle oficio,
antes que otro me empeñe, allí al instante
lo acomodé por gorra del servicio.

Esto ha pasado con su censura. Haga vuestra merced lo mismo con mi carta, que una y otra solo de esto pueden servir.

Concluyo, señor fiscal, diciendo que para que suene que Torres ha respondido, basta esta satisfacción. Que el gallo cante allá a las doce por esta razón o por la otra, ya dije que esto no lo sabré yo ni lo averiguará en su vida la Academia de París. Y si sabe la razón, ¿para qué la pide a España en las gacetas? Y si el fiscal y la academia no pueden (si no es por milagro) saber la razón formal, ¿cómo saben que no es la que yo he dado? El premio que esperaba lo logré luego que salió la impresión y he visto cuatro comedias a la salud de la preguntita; y con lo que diese de sí esta mala respuesta, veré otras tantas. Y vaya vuestra merced escribiendo que a mí no me duelen plumas.

Por último, suplico a vuestra merced que otra vez que escriba sea más breve, porque salen fríos, después de tanto tiempo, los tratados; que para dictar cien disparates como los míos y otras tantas necedades como las de vuestra merced, no son menester más instantes que los que gaste la tinta y la pluma en ensuciar pliegos. Vuestra merced habrá sentido mucho haber empleado tan mal su trabajo que no me haya hecho enfermar del susto. Pero no lo puedo remediar: no tengo vergüenza, y ya perdí las esperanzas de mejorar si vuestra merced no pide a Dios que me madure el seso; que yo se lo pagaré en rosarios pidiendo a Nuestro Señor para que le dé la larga vida y la mucha salud que le deseo.

Su servidor y apasionado amigo que le besa las manos,

Diego de Torres

224

Colección Letras Hispánicas

DE PRÓXIMA APARICIÓN